VOYANTE

Roger Ducros, *Prêtre et guérisseur,* 2003.

ROSANA NICHOLS
*Avec la collaboration
d'Alexandra Demarigny*

VOYANTE

*Préface et commentaire de
Philippe Wallon*

PRESSES DU CHÂTELET

Collection « Les Chemins du paranormal »
dirigée par Philippe Wallon

Ce livre est une version revue et augmen-
tée de l'ouvrage *Vivre la voyance,* paru en
1994 chez Pocket.

Si vous désirez recevoir notre catalogue et
être tenu au courant de nos publications,
envoyez vos nom et adresse, en citant ce
livre, aux Presses du Châtelet,
34, rue des Bourdonnais, 75001 Paris.
Et, pour le Canada, à Édipresse Inc.,
945, avenue Beaumont,
Montréal, Québec, H3N 1W3.

ISBN 2-84592-104-7

Préface

Le témoignage de Rosana Nichols est exemplaire en ce qu'il explique très clairement la manière dont elle vit avec des facultés paranormales. Beaucoup pensent que voir et prédire l'avenir est un privilège. En réalité, le plus souvent, cela constitue une gêne. Si d'ailleurs le Créateur (ou la Nature) avait voulu nous doter de ces facultés, cela se saurait ! Être envahi par la vie de ceux qui nous entourent, la voir se dérouler comme un film occupe la pensée au point de devenir obsédant, si l'on n'y prend garde.

Certes, il est heureux de pouvoir guérir ceux qu'on aime ou encore de communiquer avec les défunts, dont on vérifie ainsi, pour soi-même, la survie après la mort, mais cela rend différent. Le voyant est « autre », mot qui est à la source de l'adjectif « aliéné » (*alien* = autre), qui signifie « fou ». On dit que, dans les hôpitaux psychiatriques, certains sont là parce qu'ils ont des facultés hors du commun, et qu'on ne les a pas compris.

Rosana Nichols, quant à elle, a su conserver son équilibre, ce qui n'est pas une chose facile avec de telles facultés. Observer ce que les autres ne voient pas, faire ce que les autres ne peuvent pas, donne parfois l'impression d'être tout-puissant. Nombre de ces personnes douées se laissent emporter par l'admiration de ceux qui les ont approchées et s'attribuent les mérites de ces dons. Rosana Nichols s'est toujours inscrite dans un cadre de foi. Si ses croyances ne recouvrent pas systématiquement les dogmes des religions révélées, elle est restée très proche de certaines communautés religieuses et en a tiré les enseignements qui lui étaient nécessaires. Le sujet « psi », celui qui dispose de ces facultés rares, trouve un salut dans le religieux ou le mystique. Penser qu'une force divine est à l'origine de ses pouvoirs l'empêche de sombrer dans des désordres psychologiques.

En effet, avoir des facultés de voyance inquiète, on se pose la question de la folie. En tant que psychiatre, combien ai-je vu de sujets qui s'interrogeaient eux-mêmes : « Suis-je psychotique ou paranormal ? » ou même : « Dans ma vie, quelle part relève de la psychose, et quelle part de facultés réelles ? » Pourquoi ces questions ? Le paranormal provient des couches les plus profondes de l'individu, ce que la psychologie nomme « inconscient », et les religieux « supra-conscient ». Or, la folie, la psychose tout du moins, est aussi l'émergence de contenus inconscients.

La différence est parfois faible entre un inconscient harmonieux et un inconscient troublé. Le père Jean-Marie Vianney, le saint curé d'Ars, se disait malmené par le Diable, ce que le psychiatre attribuerait aisément à une personnalité troublée, sans pour autant contester la sainteté de sa vie et de son âme. Il est ainsi des gens qui, d'un jour à l'autre et parfois d'une heure à l'autre, passent du Divin au démoniaque, ou sombrent dans la folie. Les théologiens eux-mêmes parfois ne s'y retrouvent plus. Aussi faut-il souvent une grande compétence pour décrypter ces facultés.

Les rationalistes restent donc à distance de ce domaine qu'ils nomment, avec une sorte de dédain, « le paranormal », qui signifie « à côté de la norme ». Les autorités, politiques ou intellectuelles, donnent au public quelques émissions en pâture, mais de quelle qualité ? On y voit un savant connu témoigner d'une mauvaise foi indigne de son rang et de sa fonction. En coulisses, les centres de recherche scientifique œuvrent souvent dans le même sens : des pressions sont exercées pour empêcher la publication de travaux scientifiques dans ce domaine ; de jeunes chercheurs savent qu'en travaillant sur ces questions ils devront tirer un trait sur leur carrière, leur avancement... et leur crédibilité.

Ce désarroi laisserait penser que les sciences restent à distance du paranormal. Il n'en est rien : on ne compte plus les expérimentations scientifiques, très variées, qui démontrent l'existence des facultés paranormales. Depuis Joseph B. Rhine, dans les années 1930, de nombreux scientifiques ont mené des recherches avec une rigueur souvent supérieure à celle des travaux habituels, et ont vérifié les hypothèses qu'ils avaient posées ; ils en ont conclu qu'on peut voir à distance, ou à l'avance, un fait matériel, et qu'on peut, par la pensée, communiquer une information à autrui.

Le public n'a pas attendu cette confirmation. La voyance, sous toutes ses formes, n'a probablement jamais été aussi florissante. En 2001, selon le ministère de l'Économie, le chiffre d'affaires du marché des arts divinatoires était, en France, de 3,2 milliards d'euros, sans compter les gains non déclarés ! Mais, à côté de voyants honnêtes qui exercent leurs fonctions avec une réelle conscience professionnelle, on trouve des escrocs qui profitent du désarroi de ceux qui les consultent. En effet, on ne va pas voir une voyante (ou un autre sujet disposant de facultés paranormales, comme un guérisseur) si on va parfaitement bien, dans son corps et dans son âme. C'est au moment où la raison n'apporte plus rien, où l'intelligence et l'intuition la plus fine sont inopérantes que l'on se livre à une « mancie ». Combien de fois ai-je assisté à des séances collectives de divination, où j'ai vu des gens mis à nu en quelques secondes ? Je savais tout d'eux ou presque, leur désarroi, leur misère…

Avec Rosana Nichols, nous n'allons pas faire étalage d'anecdotes sordides. Nous ne relaterons pas non plus des histoires édifiantes, où la voyante a, contre toute attente, déjoué les pièges de la vie. Nous passerons en revue des exemples, clairs et nombreux, qui illustrent ce que peut être cette faculté encore bien mystérieuse. Nous examinerons, en particulier, les paradoxes du paranormal. Ce sont en effet les erreurs qu'il faut explorer, et non les succès. Quand le message est parfait, on a tendance à oublier la manière dont il est produit. En revanche, quand il présente des erreurs, les différences avec ce qu'il aurait dû être sont autant d'informations.

Vivre avec des facultés paranormales, c'est donc assumer une existence différente, accepter une sensibilité qui met en contact intime avec l'autre, même si on ne l'a pas voulu, poursuivre une mission auprès de la société et des hommes (et des femmes) qui confronte à la maladie, à la souffrance, à la mort.

À la suite du témoignage de Rosana Nichols, le lecteur trouvera un commentaire qui tentera de situer ses propos à la lumière des dernières avancées de la connaissance, tant en psychologie que dans le domaine des sciences physiques. On pourra ainsi mieux comprendre ce qui peut étonner, voire troubler, dans le récit de cette existence hors du commun.

Philippe Wallon,
psychiatre et psychothérapeute

À mes chers disparus,

À mon père, qui m'a légué l'honnêteté.

À Jean-Louis P. et son épouse Marie-Françoise, mes guides spirituels.

À ceux qui m'ont propulsée vers la voyance et la spiritualité.

À ceux qui contribuent à l'Harmonie, la Lumière et la Paix.

À ceux qui me donnent leur confiance, dans la souffrance, les difficultés, et jusqu'à leurs derniers instants.

À ceux qui, ici ou dans l'au-delà, me guident et ont balisé ma route de Lumière et de Paix.

1

La voyance et ma vie

Mon enfance, ma famille

Très jeune, je voyais souvent une sorte de halo traverser la pièce où je me trouvais ; mon entourage déclarait alors qu'un défunt avait besoin de prières. À l'école, j'annonçais à mes camarades les notes qu'elles allaient avoir, les échecs et les succès aux examens... Dès l'âge de treize ans, je lisais des événements dans un simple jeu de cartes. Je n'avais rien appris, je voyais les figures s'animer !

À dix-sept ans, j'ai eu une expérience de *clairaudience*[1], qui m'a particulièrement surprise. Cela se passait une nuit, alors que j'étais dans l'ouest de la France, loin de ma famille : à trois heures du matin, je fus réveillée par la vision de ma grand-mère en train de mourir. Je voyais très distinctement ma mère à son chevet, qui disait : « Ça y est, c'est fini, elle nous quitte. » Tout était lugubre autour de moi, j'étais en sueur sur mon lit, complètement éveillée. La pendule sonna trois coups, les volets de ma chambre étaient ouverts et laissaient entrer la

---

1. Forme de voyance qui se présente sous la forme d'une voix, mêlée ou non à des visions.

lumière du réverbère de la rue. La glace placée au-dessus de la cheminée renvoyait cette lumière à la glace d'une armoire située en face d'elle. L'effet était sinistre. Je sentis subitement un froid intense et profond me parcourir le dos, et je frissonnai, ce qui fut un signe particulièrement important. Plus tard, je ressentirai les décès par cette sensation de froid, mélangée à d'autres *clichés*[1]. Je pus me rendormir normalement. À neuf heures, ma mère m'annonçait par téléphone le décès de ma grand-mère, survenu à trois heures du matin exactement. Je lui racontai ce que j'avais vu, elle me confirma que tout était exact, et qu'elle avait bien prononcé ces paroles.

Dès mon plus jeune âge, il m'arriva de me dédou-bler[2]. C'est seulement maintenant que je comprends ce phénomène qu'on appelle « dédoublement astral ». En société il m'arrivait parfois d'être *dans la lune*. Puis, subitement, je me retrouvais au-dessus des personnes de l'assistance. Je flottais en l'air ; je les voyais enveloppées d'une sorte de brume et j'entendais comme un brouhaha. C'était une sensa-tion à la fois étrange et désagréable pour un enfant. Revenant à moi, je me pinçais pour bien constater que j'existais et peu à peu je reprenais conscience de ma place au milieu de l'assistance. Ce phéno-mène se produisait également en classe. Pendant

---

1. On appelle « cliché de voyance » l'information qui surgit dans l'esprit de la voyante. Mais il ne faut pas le confondre avec un cliché photographique, comme tout cet ouvrage le précise.
2. Impression de quitter son corps, et d'aller au loin. Le mot « astral », couramment employé, se réfère à une idée emprun-tée à l'Inde par les théosophes, au début du XXe siècle.

toutes ces années, je faisais fréquemment des voyances aux amis de mes parents et tout ce que je prévoyais se produisait effectivement…

Un « vilain petit canard »

Dans ma famille, il n'y a pas de voyant qui exerce, professionnellement parlant, mais ma grand-mère maternelle avait beaucoup d'intuition. Je ne sais presque rien de mes autres grands-parents, paternels, que je n'ai jamais connus. Dans le reste de ma famille, personne n'a aucun don particulier. Aussi ne peut-on parler d'héritage, comme c'est parfois le cas. Je n'ai, moi-même, rien qui me prédestinait à la voyance. Je suis l'aînée d'une famille de cinq enfants. Mon père, militaire de carrière, était fils unique, et ma mère était septième d'une famille de treize enfants. Mon grand-père, ouvrier, courageux, éleva de son mieux toute sa famille. Athée, il ne voulait pas entendre parler de Bon Dieu dans sa maison. Sa femme, en revanche, se rendait chaque dimanche à la messe et ma mère bénéficia d'une éducation religieuse très stricte jusqu'à un peu plus de quinze ans. Bien que croyante, elle préféra nous mettre dans des écoles laïques.

Mon père était un être exceptionnel qui s'est toujours sacrifié pour nous. À l'époque, les allocations familiales n'existaient pas, et il gagnait juste de quoi payer l'essentiel. Bien plus tard, alors qu'il commençait à mettre un peu d'argent de côté, il est mort. J'ai connu une vie de famille agréable. Mes parents nous ont enseigné l'honnêteté, le respect de nous-mêmes et, par conséquent, des autres. Quant à moi, comme un « vilain petit canard », j'ai plongé dans l'irrationnel et me suis découverte voyante au milieu de personnes très cartésiennes et j'ai eu beaucoup de mal à l'admettre. Les années, la clientèle et les enseignements que j'ai suivis m'y ont aidée. Je voulais être danseuse, mais ma santé était trop fragile. J'ai dû changer d'orientation. Bien qu'attirée par l'esthétique et le visagisme, j'ai opté pour la comptabilité et le secrétariat de direction. J'avais le besoin d'aller vers les autres. Toucher physiquement les êtres semble avoir toujours été partie intégrante de ma personnalité. Je suis mariée, j'ai deux enfants. Tout cela n'a rien d'exceptionnel. Je suis une femme simple, mais je vis les événements en profondeur. J'aime ce qui est authentique et noble. Je ne suis pas du tout une voyante à la mode comme celles que consultent les politiciens et les célébrités. Je suis une voyante *populaire* !

Une raison de vivre

Posséder la voyance ne m'a pas toujours protégée des épreuves de la vie. À vingt ans, j'ai été atteinte d'une primo-infection, qui m'a obligée à interrompre toute activité pendant dix-huit mois. À vingt-cinq ans, j'ai connu un bouleversement affectif, à la suite duquel je décidai de me suicider : ce soir-là, je me trouvais sur un pont, décidée à en finir avec la vie. Mes mains serraient le parapet, et je m'apprêtais à le franchir, pour me jeter sous une des voitures qui passaient en dessous. C'est alors que, brusquement, une force intérieure, mais que je ressentais comme étrangère, se saisit de moi, me paralysant totalement. Je ne pus accomplir mon geste. Cette force me retint puis me propulsa brutalement hors du pont. Un vent très fort se leva alors, telle une tornade. Il a lavé mon esprit, et je m'écriai : « Non, non, je ne continuerai pas ainsi, je dois vivre... » Avec foi et conviction, je prononçai tout haut : « Tout doit changer, tout changera. Si je m'en sors, je donnerai en échange... je donnerai, mais quoi ? » Une pluie violente s'était mise à tomber. Je m'entendis subitement dire tout haut : « Si je m'en sors, ma vie sera pour les autres, je la donnerai totalement. Je vais aider les autres, j'en fais le vœu solennel. » Je répétai cette phrase au moins trois fois. Je suis rentrée chez moi trempée mais complètement rechargée et sereine.

J'ai ainsi compris que le suicide était une régression, un constat d'échec. Notre évolution exige des épreuves. Ainsi, l'homme progresse-t-il en venant sur cette terre et peut alors s'élever vers un plan supérieur.

Mes débuts

Avant de devenir voyante professionnelle, j'ai longtemps travaillé comme secrétaire, et j'effectuai alors de nombreuses voyances gratuites. C'était nécessaire, je devais moi aussi faire mes preuves. Je me souviens, en particulier, d'avoir raccompagné une collègue à son domicile, où son ami et son cousin jouaient aux cartes. Ma collègue leur a demandé de me passer le jeu de cartes afin que je leur prédise leur avenir. J'ai pris en main le jeu, j'ai demandé au cousin de choisir des cartes. Au fur et à mesure celles-ci s'animaient, et des images me venaient à l'esprit. J'annonçai son divorce, et un remariage dans les dix-huit mois, puis un *nouveau divorce*. Nous nous sommes tous mis à rire. Sept années plus tard, alors que je les avais perdus de vue, mon époux rencontra ce cousin. Toutes les prédictions s'étaient vérifiées : « Votre femme est une vraie voyante ! » lui a-t-il dit.

Outre ces dons, j'ai reçu également le *magnétisme*[1]. Je me suis trouvée, un peu malgré moi, amenée à l'utiliser sur une femme et une fillette. J'étais allée chez des amis de la région de Cherbourg, accompagnée de ma nièce. Un jour, à la suite de baignades dans une eau trop froide, mon amie et ma nièce ont eu des douleurs dans le dos, les épaules et les bras. Mes amis m'ont demandé de les magnétiser. J'ai essayé. Lorsque j'ai passé mes mains sur les endroits sensibles, elles m'ont dit ressentir une certaine chaleur et, progressivement, leurs douleurs ont disparu !

L'été suivant, dans la rue, un passant a eu une crise d'épilepsie. Je n'ai jamais eu beaucoup de sang-froid, mais en attendant le médecin je me suis approchée de cet homme et j'ai posé les mains au-dessus de ses

---

1. Don qui consiste à guérir avec les mains. Ce « magnétisme animal », mot créé par Mesmer au XVIIIe siècle, n'a aucun rapport avec le magnétisme minéral, propre aux aimants métalliques. « Magnétiseur » est souvent utilisé comme synonyme de « guérisseur », plus approprié.

épaules. J'ai prononcé quelques paroles intérieurement et sa crise a cessé. En temps ordinaire, m'a-t-il dit, les crises duraient nettement plus longtemps. J'ai su par sa famille qu'il n'eut plus jamais d'autre crise. Par ces événements s'est confirmé ce don de magnétisme que j'avais découvert en moi, quelque temps auparavant, en soignant mon fils atteint d'anthrax.

Plus tard, j'ai travaillé avec un magnétiseur qui a orienté ma pratique en ce domaine. Il a été mon guide pour le magnétisme durant plusieurs années. J'ai appris à canaliser ce fluide, cette « énergie ». Malgré cela, cet homme me disait souvent : « Vous serez d'abord voyante et ensuite guérisseuse. » Maintenant, je ne fais quasiment plus que de la voyance, je ne suis pas guérisseuse. Je ne cherche pas à sentir les gens par les mains, mes perceptions proviennent surtout de l'intérieur de mon être. Les impressions reçues par les mains sont importantes, mais ma pensée est plus rapide, plus précise et ma vision intérieure plus forte.

Il m'est arrivé plusieurs fois, en pleine nuit, de voir sortir de ma main droite une lumière bleue. Une autre nuit, assise dans mon lit, j'ai vu sur le mur des mains lumineuses avec une croix au milieu et j'ai entendu clairement : « Ce sont tes mains, elles soulageront. » J'étais au bord des larmes, une vive émotion m'étreignait.

Voyante et mère de famille

Parallèlement, j'ai mené ma vie, avec ses avanies. Mes enfants étaient jeunes, ma fille avait neuf ans, mon fils venait de naître et je devais assumer d'abord ma vie de mère de famille. Je pense que c'était primordial. Je passais mes nuits debout, mon fils pleurant chaque nuit jusqu'à six mois, j'étais épuisée, j'en profitais pour lire tous les livres que m'envoyait un ami d'une grande spiritualité qui était un peu mon guide en ces temps difficiles. J'avais un réel besoin de soulager les gens, je ressentais dans mes bras une force qui me poussait à le faire. C'est sur mon fils que je me suis exercée, j'avais installé provisoirement son lit dans ma chambre, près du mien, afin de pouvoir dormir quelques heures. Je passais ma main à travers les barreaux, afin qu'il sente une présence, je caressais sa petite main et il se calmait.

Je n'ai jamais constaté l'apparition de ces capacités chez mes propres enfants. Mais il m'est arrivé d'avoir des contacts télépathiques[1] avec mon fils. Un jour, il jouait dans une autre pièce pendant que je balayais la cuisine, je pensais à aller chercher la pelle qui se trouvait dans le débarras. À ma grande surprise, il est arrivé avec la pelle à la main, alors que je n'avais absolument rien dit ! Par ailleurs, ma fille a fait plusieurs rêves prémonitoires : un matin, en se réveillant, elle m'a dit avoir rêvé que notre voiture était endommagée. Nous avons regardé par la fenêtre, la voiture était bien sur le parking mais le pare-brise était brisé…

---

1. La télépathie, appelée aussi « transmission de pensée », est la faculté de percevoir l'émotion (du grec « pathos ») de l'autre, à distance (« télé »).

La dureté du monde de la voyance

À cette époque, j'étais saturée par toutes ces manifestations. J'avais beaucoup trop de clichés de voyance, je commençais à être sérieusement perturbée et je traversais une crise terrible, un sentiment de totale solitude intérieure. Les guérisseurs avec lesquels j'étais en contact trouvaient cela merveilleux, moi pas du tout ! J'avais décidé d'en parler à des professionnels, mais je ne connaissais personne dans le monde de la voyance, j'ai donc acheté une revue et j'ai cherché. Je ne ressentais pas très bien ces annonces. J'ai choisi deux voyants : un homme très connu, mais je n'ai pas pu le rencontrer car ses honoraires étaient bien trop élevés pour moi, et une seconde personne, celle-là peu connue. Elle me prévint au téléphone : « Faites attention, c'est dangereux d'avoir des clichés comme cela, vous pouvez attirer de très mauvais esprits sur vous. Venez me voir. » Je m'y rendis avec une certaine réticence. Elle me reçut dans son cabinet, fort petit. Elle me déclara soudainement : « Faites-moi une consultation. » J'étais un peu déroutée, mais après tout je la dérangeais et elle avait le droit de me tester. Je lui dis ce que je voyais. Après ce test, elle me confirma que j'étais voyante, et que je devais poursuivre. Elle me demanda alors le prix d'une consultation. Je fus stupéfaite ! Je me sentais mal à l'aise, sans pouvoir définir pourquoi. Dans la rue, j'eus une sensation de vertige, des larmes de découragement coulaient sur mes joues. Il m'apparut que je ne pouvais espérer aucune fraternité dans ce milieu. Je ne voulais plus entendre parler de ces « voyants », ils étaient trop intéressés par les choses matérielles. Ils avaient perdu leur humanité.

Rencontre avec un guérisseur

Après cette mésaventure, je décidai de m'adresser à M. Barbier, un guérisseur réputé pour son honnêteté. C'était un homme étonnant. Cantonnier de son état, on venait le chercher pour tout : soigner les bêtes dans les fermes, aider les gens à mourir, lors des phases terminales de certains cancers... Je connaissais cet homme depuis mon enfance. À douze ans, avec mes cousins, nous avions eu de l'impétigo. Il nous avait tous soignés rapidement et définitivement avec des décoctions de feuilles de noyer. Il lisait le corps sans avoir besoin de radio. Il donnait des extraits de plantes. Pour lui, la lune avait une grande importance. Il était capable de remettre en place un bras, immédiatement. Sa petite-fille a suivi son exemple : elle est médecin.

J'arrivai chez cet homme, qui habitait dans un petit village. Il y avait déjà une bonne vingtaine de voitures en stationnement tout le long de sa maison. Sa salle d'attente était pleine, car il ne donnait jamais de rendez-vous. Les gens attendaient dans la cour, sur les marches, dans la rue. Certains étaient là depuis des heures. Cet homme était totalement désintéressé, comme en témoignait d'ailleurs sa salle d'attente. Les murs étaient nus, la peinture craquelée. Pour tout mobilier il n'y avait qu'un poêle d'allure antique, un banc et quelques chaises. J'ai attendu près de deux heures, et encore plusieurs personnes m'ont laissé leur place...

Mon tour arriva enfin. M. Barbier me fit entrer dans son bureau. C'était un vieillard petit et sec de quatre-vingt-sept ans, d'allure très campagnarde. Il se dégageait de lui une confiance et une bonté que je n'ai jamais oubliées. Pour justifier ma venue, je lui parlai de problèmes digestifs qui me tracassaient. Ses yeux, un peu bridés, me perçaient littéralement. Jamais de ma vie je n'avais vu un tel regard. Il prit ma tête entre ses mains et m'obligea à le regarder fixement. Il ferma les yeux, tout en posant les mains sur mes épaules puis sur mes hanches. Puis il les rouvrit et me déclara : « Tu peux passer toutes les radios que tu veux, les médecins n'y verront rien, tu n'es pas malade, tu as tout simplement la vésicule biliaire paresseuse, elle fait son travail quand cela lui plaît, c'est idiot car tu perds de l'énergie. » Cette phrase du père Barbier m'est revenue en mémoire quand j'ai passé une radio de la vésicule biliaire, pour vérifier ses dires. Il n'y avait rien. Mais, quelques années plus tard, en effectuant des examens plus approfondis, un spécialiste me déclara : « Savez-vous que vous devez surveiller votre vésicule biliaire. Vous n'avez rien de grave, mais elle est très paresseuse. »

J'abordai alors avec le père Barbier le problème de mes visions, de mes expériences de magnétisme. Sans me répondre, il me serra très fort les mains et ferma à nouveau les yeux. Il porta mes mains à ses lèvres. C'était chez lui un signe d'une profonde reconnaissance, comme pour me dire : « Tes mains, il faut t'en servir, c'est noble ! » Il m'obligea alors à le regarder. Il me dit alors, d'un ton très paternel : « Tu es voyante et, en plus, tu as le don dans les mains. Tu es un vrai guérisseur, ma fille, tu soulageras beaucoup de gens. Qu'attends-tu pour faire comme moi ? » Un peu surprise, je répondis : « Mais l'Ordre des médecins, le tribunal ? »

« Je sais, je me suis battu toute ma vie pour ce don. Je suis passé deux fois au tribunal. Mais les médecins m'envoient discrètement leur femme et leurs enfants... » Je lui dis alors : « Mais monsieur Barbier, c'est la voyance que je possède ! »

« Tu as les deux. Tu ressens le mal des gens. Je ne connais pas le nom des maladies, mais je ne me trompe jamais. Tu seras guérisseur, ma fille. Je suis vieux, usé. Tu aimes les gens comme moi, c'est le principal. C'est l'amour du prochain qui compte. Comme moi tu atténueras les souffrances de ceux qui vont quitter ce monde. Je ne te verrai plus, ma fille. » Je le quittai sur ces mots.

Après la rencontre avec le père Barbier, j'étais assez perturbée. Il m'avait confirmé que j'avais la *clairvoyance*[1] et la *clairaudience*, un peu de magnétisme, mais je ne savais pas encore où j'allais. J'ai alors participé à un premier congrès de parapsychologie, à Paris, en tant que magnétiseur. C'est là, à ce moment, que mon choix se détermina.

---

1. « Clairvoyance » (voyance d'allure visuelle) et « clairaudience » (voyance d'allure auditive) sont souvent mêlées, comme on l'a vu.

La confirmation de mes dons

Ces congrès ont validé mes dons, car, au cours de ces manifestations, on peut effectuer des comparaisons. Un jour, un journaliste est venu nous tester. Il s'est adressé à quatre voyants, des médiums[1]. Il a dit avoir obtenu les mêmes prédictions !

Dans ces congrès, j'ai rencontré des gens qui ont eu une grande importance dans ma vie. Nous avons encore aujourd'hui des liens spirituels très forts. Ils exercent leurs dons avec patience, amour et désintéressement. Par exemple, José Ange, médium bien connu et organisateur de telles rencontres, me déclara un jour : « Vous serez une voyante sérieuse, laissez le magnétisme aux autres. Vous avez tout pour être voyante. Vous serez bientôt installée dans Paris. Je ne vous vois pas faire des passes magnétiques toute la journée. » Aujourd'hui, je lui rends hommage. Par la suite, d'autres voyants m'ont confirmé ce qu'allait être ma carrière. Ce n'est pas une décision que j'ai prise à la légère.

La clientèle de festivals a orienté mon choix. Je ne possédais que la voyance directe[2] et les consultants m'ont demandé d'utiliser des tarots parce qu'ils se sentaient plus à l'aise avec le support qu'en me fixant dans les yeux. Depuis ce jour, j'utilise toujours des tarots.

---

1. Un médium tiendrait, selon l'usage, ses informations de défunts ; à l'inverse, le voyant les aurait par contact, direct ou indirect (support), avec le consultant.
2. On appelle « voyance directe » celle qui s'effectue sans aucun support (tarot, pendule…).

Les festivals et congrès de parapsychologie étaient de bonne qualité voici quelques années. Nous avions d'excellents organisateurs, eux-mêmes de sérieux voyants. Cela nous permettait de développer nos dons. Actuellement, les festivals se sont multipliés et leur qualité a baissé. La voyance est actuellement très à la mode, dans les journaux, à la radio. Je trouve cela excessif... mais cela n'empêche qu'il existe des voyants très compétents. Nous ne sommes qu'un canal de transmission, pour aider, guider, orienter. Il faut parfois s'oublier totalement pour transmettre ce que l'on nous indique. Nous avons la clientèle que nous méritons en fonction de notre comportement et du travail que nous faisons. Les voyants ne doivent pas galvauder leur don. Notre rôle n'est pas de nous mettre en avant, même si certains pensent que leur rôle est d'être médiatiques...

Voyances au bureau...

Quand j'étais secrétaire, j'ai fait de la voyance sur mon lieu de travail. Un jour, par exemple, j'arrivai à mon bureau, dans la société où j'assurais un intérim de plusieurs mois en secrétariat, dans une atmosphère très sympathique. En m'asseyant, j'eus la vision de la jeune femme que je remplaçais en train d'accoucher. Je communiquai ce cliché à mes collègues. Dans l'après-midi, son mari nous annonçait la naissance de leur premier enfant, né à l'heure précise de ma vision.

Quelques jours plus tard, je regardais une collègue. Je la vis alors avec un homme de couleur dans une chambre à coucher. Je souris et lui confiai mes visions. Elle resta perplexe et me confirma qu'effectivement elle vivait avec un Africain depuis trois mois. Chaque soir, avant de partir, mes collègues me glissaient une enveloppe avec leurs petits problèmes et leurs questions. Lorsque mes enfants étaient couchés, j'examinais toutes ces lettres.

Une de mes collègues me demanda de lui faire une voyance. Je lui décrivis très précisément ses parents, décédés à Saïgon. Je lui donnai des détails de sa vie privée. Je lui dis également que son fils rencontrerait pour la première fois son père lorsqu'il atteindrait l'âge de vingt ans. Tout s'est passé comme je l'avais prédit...

Ainsi, durant des années, j'ai exercé la profession de secrétaire. J'ai gardé d'excellents contacts avec des collègues que j'ai aidés ou guidés par ma voyance. Ces personnes me consultent toujours. Il m'arrivait souvent de capter des clichés en donnant seulement une poignée de main. Pendant un temps j'ai travaillé dans une entreprise en difficulté. J'annonçais des mutations avec des dates précises, les départs et le licenciement du personnel. Le directeur lui-même me convoqua discrètement dans son bureau et, me tendant sa montre (cela facilite les clichés), il me demanda ce que je voyais. Je vis l'entreprise tout entière s'éteindre. Je ne me trompais hélas pas, mais grâce à ces prédictions mes collègues ne vivaient plus dans l'angoisse. Ils étaient préparés aux changements. J'ai pu ainsi aider beaucoup de monde et rassurer ceux qui gardaient leur emploi, en essayant de les motiver.

Mes voyances surprenaient ceux qui me consultaient. Quant à moi, je traversais toujours une grande crise de solitude à cause de ces visions. Je n'en tirais aucune fierté, mais au contraire une grande désolation.

Parallèlement, mon magnétisme se confirmait. Un membre de ma famille voulait me tester au sujet d'une plaque sous le pied qui s'élargissait malgré les soins du dermatologue. La guérison serait longue paraît-il, et il voulait savoir si je pouvais le soulager. En deux séances seulement, et sans pommade, j'ai magnétisé le pied et la plaque est partie définitivement. Il a néanmoins toujours déclaré ne pas croire à ces phénomènes...

L'expérience spirituelle

Mon cheminement a été émaillé d'expériences particulières, d'allure spirituelle. Un soir, alors que j'étais couchée mais non encore endormie, je vis une lumière légère dans le couloir qui donnait sur ma chambre. Je pensai que j'avais oublié d'éteindre la lumière de la cuisine. J'ai vérifié que ce n'était pas le cas, je me suis alors assise sur le lit et j'ai vu les cloisons de ma chambre disparaître, m'offrant un spectacle extraordinaire. Un champ de lumière, couleur de lune, s'ouvrait devant moi jusqu'à l'infini. Toutes les cloisons de la maison tombaient les unes après les autres. Un lac d'or avec des stalagmites et des stalactites. Je ressentis un serrement dans la gorge, mêlé d'une sorte d'extase. Ces impressions ont duré environ quinze minutes, peut-être plus, mais étais-je consciente du temps? Je ne prenais aucun excitant, ni drogue, ni alcool. Le lendemain j'appelai au téléphone un ami médecin qui m'a rassurée. Ces phénomènes ne m'ont jamais fait peur, ils m'ont surtout plongée dans un état de réflexion et d'émerveillement. Je n'avais eu aucun travail de préparation avant de recevoir ces visions, tout cela s'est produit naturellement. Aujourd'hui je sais que ces manifestations ne sont pas très courantes, mais qu'elles existent. Il paraît que certains êtres sont capables de les percevoir au moins une fois dans leur existence. Ces phénomènes ne sont pas réservés aux saints, ils peuvent concerner n'importe qui, quel que soit le milieu social, la profession, l'âge ou la religion.

J'ai vécu une expérience similaire, il y a une dizaine d'années : je terminais mon dîner et, d'un seul coup, je vis très distinctement, de chaque côté de mon assiette, des rayons lumineux montant vers le ciel. Sept rayons couleur de lune. Je me suis levée, j'ai regardé par la fenêtre, et ces rayons montaient jusqu'à l'infini. Il n'y avait pas d'avion dans le ciel qui était très noir. Je ne comprenais pas, je me suis assise à nouveau, et ces rayons étaient là et partaient de mes mains, il y en avait bien sept, je les ai comptés, quatre d'un côté et trois de l'autre. J'étais vraiment bouleversée. Le lendemain, je téléphonai à une consœur pour lui raconter et elle me répondit : « Qu'avez-vous fait ? » Je lui rétorquai : « Mais rien, j'étais stupéfaite ; j'ai cru que c'était une illusion d'optique ; je ne sais pas ce que c'était », et elle me rassura, là encore, tout à fait.

Un guide spirituel

J'allais de festival en festival pendant plusieurs années. Durant l'un d'eux, j'ai rencontré une voyante qui est restée une amie, et m'a posé cette question : « Quel est votre guide spirituel ? » Ma réponse fut celle-ci : « Je n'ai aucun guide spirituel, ce n'est pas nécessaire, je ne vois pas ce que j'en ferais… » Elle me pria d'y réfléchir. Le soir même, j'ai demandé que l'on m'envoie ce fameux guide. Deux jours plus tard, j'étais exaucée. Je transmis mes impressions à ma consœur et aujourd'hui je lui rends hommage. Néanmoins je tiens à préciser que mes demandes ne sont pas toujours exaucées aussi rapidement…

Par la suite j'eus plusieurs guides. Par exemple, un matin en me réveillant, j'entendis une voix étrange : « Je suis ton nouveau guide spirituel, avec moi tu pourras intervenir sur des brûlures, tu sauras pourquoi. Je suis le père de Vincent. » Vincent était un ami. Je lui fis part de cette perception et je vis son visage devenir blême. Orphelin à sept ans, son père était mort dans un incendie criminel. Des malfaiteurs l'avaient barricadé dans sa cave, l'avaient arrosé d'essence puis mis le feu. Depuis, ce guide est venu m'aider régulièrement.

Une nuit encore, je rêvais que j'étais sur un plan astral, je voyais le visage d'un homme : une lumière très brillante sortait de son cœur, et de sa tête partaient une quantité de rayons lumineux. Trois mois après, je rencontrai un homme qui correspondait, très exactement, à mon rêve. Je fus impressionnée par son aura[1]. Autour de sa tête brillait un halo de lumière blanche comme un feu d'artifice, plus lumineux que la Lune, comme de la poudre d'or. J'avais rencontré un Guide, un Maître Spirituel, mais cette fois en chair et en os.

---

1. On appelle « aura » une sensation d'allure colorée qui s'anime autour de la personne. Il ne s'agit pas d'une perception visuelle au sens propre, car elle persiste si l'on ferme les yeux. C'est une forme de voyance.

2

Voyance et temps

Situer le cliché

Que ce soit pour voir le futur, le présent ou le passé, ou pour invoquer les défunts, la démarche est la même : on se laisse aller et on reçoit le cliché d'une façon impromptue, sans pouvoir distinguer toujours le moment auquel il se rapporte.

Il n'y a pas de temps en voyance : quelquefois les événements que l'on voit sont déjà passés. C'est très difficile à distinguer. Par exemple, il m'est arrivé de donner une voyance et de dire à la cliente : « Je vous vois vivre un divorce ou une grande séparation. » Cette dame me répondit : « Vous avez tout à fait raison, mais tout ce que vous voyez est déjà arrivé. » Elle avait en fait déjà perdu son mari. Je le voyais au présent, comme si cela allait se dérouler. Je ne peux pas toujours indiquer si cela va se dérouler dans un an ou deux ou si cela s'est déjà produit.

J'ai un autre cas, celui d'une vision à Cannes : une femme arrive très élégamment habillée de tons pastel. Elle s'assied et je commence à faire sa voyance. Je lui déclare : « Madame, faites très attention. Je vois plein de fleurs chez vous ; votre mari va avoir une crise cardiaque ; vous signez les papiers d'une assurance. Votre mari est en danger. Je vois cela dans les deux ou trois mois qui arrivent. » Elle s'est mise à pleurer car elle était veuve depuis trois mois, et venait effectivement à Cannes pour consulter la compagnie d'assurances et traiter ses affaires.

Rien ne permet de préciser si les clichés appartiennent au futur ou au passé. Il n'y a pas de critère certain. On voit les choses comme le déroulement d'un film. Il faut se lancer, un peu comme une personne qui apprend à nager, et le consultant vous répond. En fonction de cela, on approfondit la voyance, de façon progressive. Le consultant va répondre : « Attendez, tout cela est déjà passé ! » À partir de cela, on peut resituer les choses, et repartir sur le présent. En dépit de mon expérience, ce n'est pas facile. Il faut en quelque sorte *positionner* dans le temps le déroulement du film. Pour le client, c'est aussi une justification, une sorte de preuve qui permet d'instaurer la confiance. Quand cela se produit, je m'en sers comme point de départ pour aller vers l'avenir. Je donne ensuite les clichés que je capte qui, en principe, vont alors bien se situer dans le futur.

Voyance et passé

Certaines personnes viennent chez moi pour me tester, pour vérifier l'existence de mon don : elles me demandent de leur faire une voyance en leur donnant des renseignements sur leur vie passée.

Cela m'est arrivé en particulier deux fois, avec une journaliste et une inspectrice des Contributions directes. Je ne savais pas comment j'allais m'en sortir, mais je me suis concentrée et j'ai donné un cliché. Ce cliché correspondait exactement à ce qu'elles avaient vécu. Elles avaient la preuve de la justesse de ma voyance, et elles sont parties finalement bouleversées. Elles auraient voulu me mettre en défaut, mais l'authenticité des clichés que j'avais reçus les avait consternées. Cela ne leur a rien apporté, elles n'en ont été ni réconfortées ni soulagées. Elles ont reçu la réponse qu'elles attendaient. Ce n'était qu'une voyance de curiosité. Je crois qu'il ne faut pas jouer avec cela et elles en ont été un peu punies.

Si l'on me demande, comme ici, une voyance sur le passé, je l'accepte parfois, mais en principe je refuse de le faire car, très souvent, la demande n'est pas honnête. Cela gêne le contact, il n'y a pas d'authenticité. Si des gens souhaitent une voyance sur le passé, je leur demande pourquoi, et, à moins que leur réponse soit tout à fait convaincante, je ne me soumets pas à cette expérience.

Mais parfois des gens viennent me voir après un accident. Leur enfant est mort, et personne n'a pu leur dire comment cela s'était produit. Cela nécessite une grande concentration. Il faut être parfaitement tranquille, car cette demande est très difficile : dans la profondeur et la paix, j'arrive à percevoir des clichés qui me donnent les détails de l'accident, la manière dont cela s'est passé. Et quand ces personnes ont ultérieurement accès aux rapports de police, elles constatent que tout correspond.

Voyance et avenir

La plupart des gens viennent me voir pour connaître l'avenir proche. L'avenir lointain, après trois ou quatre ans, ne les intéresse pas... C'est parfois moi qui les pousse à demander une voyance portant sur l'avenir lointain, si je ne vois rien dans les dix-huit mois à venir. Certains clients ont une vie si plate ! Il n'y a rien, pas de vie sentimentale, le travail est routinier. C'est triste de s'entendre dire cela ! Dans un tel cas, je prends le Tarot de Marseille[1] et je pousse la voyance plus loin, afin de trouver quelque chose de plus satisfaisant.

L'espoir que leur vie va changer est la raison de leur venue. Mais le voyant n'a pas à leur inventer une *vie sur mesure*. Les consultants attendent que je leur apporte les moyens de faire des choses dont ils ne se sentent pas capables, d'introduire un changement dans leur existence !

Appréhender le temps dans la voyance est **une** chose réputée difficile, et dater les faits l'est encore davantage. J'ai donné des dates très précises à des personnes : « Vous serez licencié à telle date, prenez la place qu'on vous propose. » C'est arrivé comme je l'avais indiqué. À d'autres j'ai pu dire : « Vous serez licencié à telle date », mais il y avait un an de décalage à peu près jour pour jour. Parfois la date se grave sur un mur, je la note, mais c'est très rare.

---

1. Jeu de cartes très fréquemment utilisé par les voyants, formé de lames aux dessins vivement colorés, dans le style des images d'Épinal.

En général, il faut essayer de capter les saisons, la couleur des feuilles, de voir le paysage. De toute façon, je sais rapidement si j'ai fait une erreur : quand j'annonce à quelqu'un des événements et qu'il se produit un retard, cette personne me téléphone presque tous les jours !

Le libre arbitre et la voyance qui « enferme »

L'avenir des gens est un secret dont la révélation peut être lourde de conséquences, en particulier vis-à-vis de leur libre arbitre. Je vais vous donner un exemple : j'ai des clients qui me demandent si leur dernier enfant est bien d'eux, s'ils en sont le père. Pour donner une réponse à cette question, il faut être très prudent. On risque de déclencher des choses dramatiques : des conflits peuvent naître dans un cercle familial. J'essaie de contourner la difficulté : « Du moment que vous avez élevé et aimé cet enfant, il est tout simplement votre enfant ! » Parfois des gens viennent me consulter pour avoir un avis. Certains sont incapables de prendre une décision, et me demandent de la prendre à leur place. Cela n'est pas mon rôle.

Souvent les clichés sont très précis, et vont dans une seule direction. Mais parfois, il y a hésitation, il y a deux voies. Je présente à la personne les deux possibilités, avec les avantages et les inconvénients : c'est à elle de décider. Par exemple un directeur de banque vient me voir. Il aime toujours sa femme, mais il n'a plus envie d'elle. Il me demande de choisir pour lui : sa maîtresse avec laquelle il est très bien ou son épouse. Deux issues m'apparaissent : il reste avec sa femme et il a des états d'âme tels qu'il va ennuyer tout le monde. Ou, de l'autre côté, il part avec la maîtresse, il laisse les enfants perturbés, la femme qui pleure. Il arrange tout cela en compensant avec un peu d'argent et une pension et il se dirige vers son nouvel amour. Mais je vois une année ou deux de vie merveilleuse et j'ai la vision que tout périclite après. J'ai su, par sa femme, ce qu'il a fini par faire : il a choisi la maîtresse. Toute la famille a tourné le dos à son épouse, et trouve maintenant la maîtresse formidable. Mais dans quelques années nous verrons la suite : la femme aura fait son chemin de son côté, elle aura rencontré quelqu'un. Elle ne reviendra pas avec lui. Je le lui ai montré très nettement. Je lui ai laissé son libre arbitre, je n'ai pas décidé pour lui. C'est réellement lourd de conséquences.

Un voyant annonce des événements futurs. Cela peut être une chose positive, mais il y a un risque d'enfermer la personne, de limiter considérablement son initiative, de diminuer son champ d'action. Il faut savoir donner au client une ligne de conduite pour qu'il essaie de contourner l'obstacle. Dans un tel cas, cela peut être positif. À l'inverse, la voyance peut enfermer quelqu'un, surtout si c'est une voyance mauvaise. Je vais donner un exemple personnel : je suis allée voir une voyante, très âgée, que l'on m'avait conseillée. Je l'ai testée pour moi. Tout ce qu'elle m'a dit était très négatif, il y avait de quoi se suicider ! Ce fut une excellente expérience pour moi, parce que j'étais suffisamment forte de par ma voyance. Mais, si elle apportait ce genre de réconfort à tous ses clients, ils devaient être en piteux état... Même s'il y a beaucoup de négatif dans une vie, il y a toujours au moins une chose positive, et il faut savoir la mettre en avant.

C'est par là qu'on risque d'enfermer les gens. Si j'avais fait de telles prédictions à quelqu'un, je l'aurais enfermé totalement dans la déprime, la passivité, l'inaction. Cette femme ne sait pas mener sa voyance ; elle aurait pu me dire : « Je vois ceci de négatif, vous pourriez peut-être le contourner comme cela. » Pour éviter cet enfermement, il faut donner des idées, des moyens, pour tirer parti de l'événement qui a été vu. Il ne faut pas donner au client l'impression qu'il a la tête sur le billot, attendant que le couperet tombe.

En fait, tout ce qu'elle avait vu s'est déroulé comme elle l'avait annoncé. Mais j'avais su en prendre mon parti, et m'en sortir de manière adéquate. Six mois plus tard, quand je suis retournée la voir, ce qu'elle a vu alors était totalement positif. Cette expérience m'a appris que, même si la prédiction est exacte, il faut être capable de faire comprendre au consultant qu'il doit essayer de transformer le négatif en positif, faire en sorte qu'il n'adopte pas une attitude passive et désespérée.

J'ai fait moi-même l'expérience inverse, avec une cliente. La fille d'une amie était venue me consulter, car elle avait des projets très audacieux et elle était quasi euphorique. Or je vis tout péricliter autour d'elle. Que dire ? La sachant forte psychologiquement, j'ai nuancé. Un an après, elle téléphone pour me dire que tout s'était effectivement écroulé. Je lui fais une nouvelle voyance, où je vois la réussite se produire ; je le lui dis et lui donne la marche à suivre pour se relever.

Je pense qu'on doit s'abstenir de consulter afin de ne pas trop « gratter » les choses quand tout va bien. Mais souvent lorsque la personne est dans un long tunnel, la voyance peut aider, apporter une Lumière, un réconfort, une énergie nouvelle, aider à repartir vers un mieux, fournir un courant positif.

Il m'arrive aussi de voir des vies très négatives. Je propose alors au consultant de faire une voyance sur cinq années. S'il n'y a rien dans l'immédiat, au bout de trois ou cinq ans, quelque chose va ressortir, se mettre au-devant de la scène... D'autres confrères ou consœurs m'ont fait des voyances tout à fait formidables. Leur but n'est pas d'enfermer la personne, mais de lui donner les moyens d'avancer dans son travail. Mais voir des événements négatifs est parfois utile ; par exemple j'ai dit à une dame : « Votre fils n'entrera jamais dans ce centre pour enfants, parce que son dossier est bloqué. » Effectivement le dossier n'aboutissait pas. À la suite de cette consultation, cette dame a multiplié les démarches et remué les services d'inscription. Ils ont recherché le dossier et lui ont fait suivre le cheminement adéquat. L'enfant est entré dans le centre au mois d'octobre, alors que je n'avais pas vu cette admission. C'est une femme intelligente, qui m'a dit : « Vous vous êtes trompée. Effectivement le dossier était bloqué, mais je me suis tellement démenée que cela a permis de faire avancer les choses. »

En règle générale, je ne pense pas que cela enferme l'être de connaître son avenir. Au contraire, cela peut beaucoup l'aider. J'ai le cas d'une personne qui est venue me voir en me disant que son mari la battait. Elle voulait le quitter. Mais j'ai eu la vision de son mari décédé. Je lui ai dit d'attendre, de patienter. Je l'ai aidée. Je ne l'ai « enfermée » que pendant deux ou trois mois en l'empêchant de partir, et peut-être d'avancer vers quelqu'un d'autre. Je crois que c'était la meilleure solution. Son mari est mort, elle a retrouvé sa liberté, mais sans la culpabilité de l'avoir quitté.

En principe la quasi-totalité de ma clientèle m'écoute, et j'évite beaucoup d'échecs ! D'ailleurs certaines personnes me l'ont écrit en témoignage. Mais il est vrai que les gens ont aussi des épreuves à vivre qu'on ne peut pas empêcher. Quelquefois on peut maîtriser une certaine partie de sa vie, mais il y a des événements qui sont annoncés et qu'il est impossible de modifier. Une voyance, même dans ce cas, va plutôt les aider, car elle leur permet d'être avertis à l'avance.

Les échecs de la voyance

En voyance, les échecs existent. En principe, beaucoup de mes prédictions se réalisent. Si toutefois une voyance ne se réalise pas, c'est souvent une question de temps. Les clients sont intransigeants sur le temps, alors je donne toujours une marge car j'ai remarqué qu'il pouvait y avoir un décalage d'un an, date pour date. C'est en particulier le cas quand les dates me sont présentées de manière précise.

Si les prédictions ne se sont pas réalisées en temps et en heure, je m'arrange toujours pour aider les clients. Mais, si mes voyances ne se concrétisent pas, peut-être la volonté du patient entre-t-elle en compte. Par exemple, il y a quelques années, j'ai fait une prédiction à un médecin lui annonçant qu'il allait rencontrer la femme de sa vie. Il l'a rencontrée le lendemain. Cet homme était libre, avait beaucoup de charme et aimait séduire. Je lui avais dit que cette relation serait un feu de paille, mais ils sont toujours ensemble. Est-ce le fait de l'avoir averti ? Comme ils tenaient beaucoup l'un à l'autre, cela peut les avoir mis en garde. Toujours est-il qu'ils ne m'en veulent pas !

Une autre fois, j'avais dit à une cousine, très ennuyée par le mariage de sa fille avec un garçon qui changeait d'emploi tout le temps : « Elle va se marier, mais elle divorcera peu de temps après. » En fait, ils sont toujours ensemble, ils sont très heureux. Je pense que les parents étaient chagrinés par ce mariage, mais qu'ils l'auraient été bien davantage par un divorce. Sachant que cela pouvait être pire, peut-être ont-ils fait en sorte que les choses changent. Grâce à mes clichés, ils ont, par exemple, fait preuve de tolérance envers les enfants et les ont plutôt aidés. Ici, je pense que mes clichés n'étaient pas nets, qu'il y avait comme un voile. Mais c'était peut-être aussi voulu. Pour moi, nous sommes aidés par des guides spirituels de plans cosmiques élevés, mais il y a parfois des choses qu'il ne faut pas connaître, qu'il ne faut pas tout à fait dévoiler. Ces parents avaient-ils un travail à faire sur eux-mêmes ? C'est ce qu'ils ont fait, et ils en ont eu la récompense.

La voyance n'est pas de la télépathie. Certains ont l'impression que les voyants disent toujours les choses qu'ils ont pensées ou souhaitées. Ce ne serait donc pas un cliché (de voyance) qu'on leur communique, mais plutôt des informations télépathiques qui viennent d'eux-mêmes. Certains professionnels n'ont d'ailleurs pas de véritables dons de voyance, mais une sensibilité à la télépathie. Ils lisent simplement vos pensées. Pour ma part, même si une relation télépathique s'instaure au départ, simplement en prolongeant la consultation, les clichés de voyance (des indications sur le futur) surgissent, et ce de plus en plus nettement.

3

Les formes de voyance

L'accord préalable

Pour voir, il faut demander la permission de pénétrer dans un être humain. L'intérieur d'un être est subtil, fragile, délicat. Pour le faire valablement, il faudrait avoir la pureté d'un diamant. Un être humain est comme une maison avec ses pièces, ses étages, ses fenêtres. Voir, c'est comme ouvrir une fenêtre. Il faut pouvoir aimer l'être qui est face à vous, et entrer dans ses vibrations.

La voyance s'effectue généralement en pénétrant par les yeux de la personne, puis par le contact avec son aura. On peut s'aider en touchant les bijoux (ou la montre) que porte une personne. On la ressent alors, physiquement, comme si on était à sa place, mais en plus vif et en plus profond : on vit la douleur, la gêne, ou les réactions diverses de ses organes internes. On reçoit les clichés sans le demander, sans se concentrer. J'ai remarqué que moins je me concentre, meilleurs sont mes messages.

J'écoute dans mon corps les réactions de l'autre, puis j'*entre* dans son corps. Il se peut que celui-ci me transmette des images de sa vie. Il n'y a pas de viol moral, j'ai la permission du consultant. En ce qui me concerne, je ne permets à personne de pénétrer moralement en moi. Je suis capable d'ouvrir et de fermer des circuits ou des énergies qui pourraient venir jusqu'à moi, même involontairement. Si je les attire, elles sont repoussées et retournent vers leur origine, le corps de l'autre. Ce travail intérieur passe donc par la concentration, la maîtrise de soi, l'affirmation de la volonté. Il faut ne jamais être indécis mais avoir la foi en ce que l'on fait. En voyance, il faut aussi beaucoup d'amour, de compassion pour l'autre.

Voyances sensorielles

La voyance, comme son nom l'indique, est surtout visuelle, sous forme d'une image, appelée généralement *cliché*. Ce cliché visuel peut prendre d'autres formes, celui d'un mot écrit par exemple. J'ai, à ce propos, une anecdote révélatrice, qui s'est déroulée sur plusieurs jours. Un jour, une femme d'une cinquantaine d'années est venue pour connaître l'endroit où son mari rencontrait sa maîtresse. Je lui répondis que je ne voyais absolument rien. Mais un soir, sur le mur de notre salle de séjour, je vis se graver en lettres capitales : « V... G... X[1] » Durant les deux jours suivants, je n'ai vu que ces simples lettres. Le troisième jour, pendant que je prenais mon petit déjeuner avec mes

---

1. J'ai écrit « V... G... X » parce que je ne voyais pas ce qu'il y avait entre ces lettres, mais j'avais le sentiment qu'il existait quelque chose d'essentiel. La suite l'a prouvé.

enfants, d'un seul coup, j'entends : « Vercingétorix. »
Je trouvai ce mot tellement ridicule que je n'en ai
parlé à personne. Quelques jours plus tard, je rencontre à nouveau cette personne, qui me repose la
même question. Je lui réponds : « Écoutez, franche-
ment je ne vois rien, mais j'ai entendu un mot idiot
qui ne correspond à rien : Vercingétorix. » Elle sur-
sauta en disant : « Mais c'est une station de bus que
je connais, je vais aller voir. » Peu après, elle retrouva son mari assis à la terrasse d'un café avec sa
maîtresse, face à cette station.

Une amie me demanda un jour de poser les
mains sur son ventre, elle croyait avoir un début de
tumeur. Je ne ressentais rien. Avec ma vision intérieure, je voyais très nettement le mot « hormonal ».
Je la rassurai et lui conseillai de voir son spécialiste.
J'avais raison.

Outre la vision et la sensation physique, la voyance
peut s'effectuer par d'autres voies, l'odorat, par
exemple. Autour de la personne, il m'arrive de percevoir odeurs et parfums. Par exemple, d'un seul
coup je vais sentir une odeur de restaurant. Mais
cela peut vouloir dire que la personne travaille dans
un restaurant, qu'elle est allée au restaurant la veille
ou qu'elle va s'y rendre. Et nous voici plongés dans
la difficulté de l'interprétation. Il m'est arrivé également de ressentir une forte odeur de serpillière mal
lavée, ce qui est souvent la marque de vibrations
très noires et mauvaises, comme peuvent en laisser
des manipulations de magie noire.

En ce qui concerne la *clairaudience*, je peux
entendre une voix intérieure, ou distinctement une
voix à l'intérieur ou au-dessus de la tête, ou bien

d'une tout autre façon, par l'intermédiaire de guides spirituels ou de désincarnés. Certains messages reçus sont captés de cette façon. Il est préférable de ne pas les demander au début, ils doivent venir d'une façon spontanée. Par la suite vous pourrez poser des questions et obtenir des réponses. Il faut éclairer cet être qui est en face de vous, lui apporter la lumière, ne pas le leurrer. Il faut le guider mais en lui laissant son libre arbitre. La plus grande difficulté est celle de bien interpréter les clichés reçus.

Voici peu de temps, j'entendis toute une journée : « Nathaniel, c'est fini. » (Nathaniel est un de mes amis.) Je pensais qu'il s'agissait de sa profession. J'appris avec une grande tristesse le lendemain son départ définitif de ce monde. Je lui rends hommage de m'avoir autant encouragée vers ma profession. Voici le message qu'il m'a transmis : « Écoute bien ça, tu iras bien plus haut que la voyance. »

Ces dons sont apparus sans que je les cherche. Dans mon enfance, j'ai souvent vécu ces expériences de voyances spontanées. Lorsque nous avons acheté notre maison actuelle, j'ai eu un cliché spontané concernant la négociatrice qui nous vendait la maison : je vis un voyage au carnaval de Rio. Quinze jours plus tard, l'un de ses amis, chanteur, fit la connaissance dans un dîner dansant d'un professeur d'une école de danse de Rio. Ils furent invités dans l'appartement de cette jeune femme, danseuse à Rio.

Il m'est arrivé maintes fois de donner des descriptions, des clichés sans qu'on me les demande. Par exemple, une voisine venait m'inviter à prendre l'apéritif chez elle, pour y rencontrer sa belle-sœur, que je ne connaissais pas. J'acceptai avec plaisir, et d'un seul coup je reçus de nombreux clichés, que je lui donnai aussitôt. Toute la vie de cette femme défila, tout ce qui était en attente dans sa vie, non solutionné, et même les problèmes de santé de son neveu.

Beaucoup de voyantes captent des clichés de cette façon. C'est un peu comme s'il existait au-dessus de nous quelqu'un qui voulait prouver l'existence de certaines facultés. On ne cherche pas, on n'attend rien, et d'un seul coup se déroule une série d'images, en couleur ou en noir et blanc. Il ne faut pas bouger, il faut se laisser aller. C'est comme une sorte de flottement, c'est doux, fragile, et facile à lire, à voir. Ce ne sont pas des symboles, mais des visions nettes et précises, bien au-delà de l'intuition.

Voyance à distance

Un jour, je voyageais en train avec une amie ; je vis que sa fille était enceinte, et que cela poserait des problèmes. Or selon elle, sa fille était sous contraceptifs, et cela était donc impossible. Six mois plus tard, je rencontre par hasard cette amie, qui a perdu quinze kilos du fait d'une dépression. Sa fille venait de se faire avorter pour continuer ses études. Elle avait arrêté sa contraception pendant trois mois, et envisageait de se faire poser un stérilet quand elle s'était aperçue qu'elle était enceinte. Dans cette voyance, je n'ai eu aucun contact avec la fille, je n'ai vu aucune photo, et je n'ai pas fait de psycho-métrie, de voyance sur un objet lui appartenant.

J'ai même eu des visions « prophétiques », concernant des faits d'importance générale. Une fois, en plein jour, dans ma chambre, j'ai vu une grande carte de géographie sur tout le mur, repré-sentant la botte de l'Italie. Puis tout à coup le mur s'est ouvert, comme une faille, à un endroit très précis. J'avais du mal à maîtriser mes émotions. Je dévoilai mes visions à mon entourage, qui me traita gentiment de folle. Le soir même les chaînes de télévision annonçaient un cataclysme en Italie. Sur l'écran, on pouvait voir la faille, exactement la même que j'avais vue sur le mur, j'en avais établi le graphique. Les événements s'étaient déroulés à l'heure même de mes visions. Il s'agissait d'un trem-blement de terre en Italie, à Trieste.

Il m'est arrivé de voir un cataclysme, un train dérailler... ou des choses de ce genre. Mais je suis plus orientée vers les joies, les événements positifs. Tous mes confrères avaient prédit la première guerre du Golfe. Je l'avais bien pressentie, mais pas vue réellement. En revanche, j'entendais les appels de paix partout. Mais j'ai tout de même eu une vision, lors d'une sortie en astral, à ce sujet. Je me suis retrouvée en Irak. J'ai vu et entendu parler des chefs en arabe, que, curieusement je compre-nais parfaitement. Je me suis arrêtée devant un dépôt d'armes qui était enterré. Mais c'est tout ce que j'ai vu.

Je ne suis pas une voyante spécialisée dans ces domaines. Je laisse cela à mes confrères et mes consœurs qui aiment la politique, les grands événements, la vie des gens célèbres. Je préfère m'intéresser à la vie privée des gens, pour les aider et les suivre dans leur cheminement affectif, professionnel et spirituel.

La voyance avec le corps

Ma voyance s'effectue parfois au travers de sensations sur mon propre corps. Lorsque je travaillais en intérim, une collègue m'avait demandé de lui faire une voyance et de la magnétiser. Elle était debout, et en passant mes mains sur ses bras et son buste, je ne ressentis rien d'anormal. Mais lorsque je descendis sur sa taille, je vis une perturbation. Plus je descendais, plus elle semblait importante. D'un seul coup en balayant le bas de son ventre, à droite je ressentis sur moi une douleur aiguë, vers le pubis mais plus à droite. Je lui conseillai de consulter son médecin et de faire une radio. Je ressentais des turbulences autour de son ovaire droit. Je voyais d'ailleurs ce mot, écrit, lorsque je fermais les yeux. Elle dut être opérée rapidement.

Avons-nous, nous les médiums, une perception plus développée que les autres, un plan émotionnel beaucoup plus fragile ? Lorsqu'une personne est décédée, il m'arrive de voir ou de ressentir comment elle est partie. Il m'arrive de ressentir la souffrance de l'autre comme si je la vivais moi-même : pour une crise cardiaque j'ai mal sous le bras et dans la région du cœur. Pour une rupture d'anévrisme, j'ai une sensation douloureuse frontale irradiant au niveau temporal.

J'ai aussi des réactions physiques, quand je suis avec une personne qui est fausse ou qui ment. Si quelqu'un vient me proposer quelque chose à acheter, je sens si cela n'est pas honnête. J'ai, dans ce cas, des manifestations physiques, douleurs, dérangements... Mon époux et moi avons failli acheter un appartement dans le Midi. Pendant la discussion avec le vendeur, j'ai ressenti de fortes douleurs abdominales... Je lui ai dit que nous allions réfléchir. Peu de temps après, nous avons appris que c'était un escroc. Il m'arrive même d'aller vomir, si je sens une aura vraiment très noire, ou quelque chose d'obscur. Quand tout est limpide, je me sens totalement sereine.

Je sens souvent une fourberie, une escroquerie, d'une manière immédiate, dès la rencontre. Même pour moi, si quelqu'un veut me tromper, j'en suis avertie. C'est comme s'il y avait des forces qui se mettaient devant moi. Je me sens protégée. Je ne suis pas la seule dans ce cas-là : j'ai discuté avec une autre voyante, qui a le même genre de manifestations. D'autres m'ont fait part des mêmes choses.

Lors des festivals, par exemple, certains guérisseurs me demandaient de venir voir leurs consultants. Je leur prenais la main et je voyais directement ce que le magnétiseur recevait avec son pendule. Je ressentais le mal sur moi, et je voyais de la lumière sur certains organes perturbés ou bien un point noir ou encore une masse noire. Si le sang ne circule pas, je vois un tube bouché. Si la personne a eu un infarctus, j'ai mal sous le sein, sous le bras et derrière l'omoplate du côté gauche. Si la personne est en danger à cause du tabac, je la vois toute grise. Si c'est un abus d'alcool, j'ai la vision soit du foie dilaté, soit d'une langue pâteuse, soit de toutes les dents qui s'écartent et qui tombent ou encore je vois le visage entièrement couperosé. Ces images sont souvent d'une grande précision, malgré leur exagération apparente. Dans les cas extrêmes, je vois un squelette, et si celui-ci est traversé par une grande décharge électrique semblable à la foudre, mon interprétation personnelle est qu'il s'agit d'un cancer généralisé.

Les supports, tarots et cartes

Tous les voyants n'ont pas la possibilité de discerner les contours du futur et d'entrer dans cet « ailleurs ». Pour arriver à cette perception, chacun peut s'aider de supports tels que les cartes à jouer, les tarots, le yi-king[1], les runes[2], l'astrologie, la radiesthésie[3]. Puis, peuvent intervenir d'autres supports : les feuilles de thé, le marc de café, l'encre, la boule de cristal, les rêves. Dans cette seconde catégorie, il est nécessaire de posséder une intuition et une sensibilité développées. Tous ces moyens ne sont que des supports. Peu importe lequel on utilise, pourvu que la conscience s'éveille.

Personnellement, je n'ai pas besoin de support, mais comme la clientèle aime les tarots, je les utilise.

---

1. Forme orientale de voyance, faite à l'aide de baguettes.
2. Écriture nordique utilisée souvent pour la voyance, sous forme de tablettes ou de cailloux portant chacun une lettre.
3. Voyance avec le pendule.

Un jour, j'ai acheté le tarot de Mme Indira (c'est un tarot oriental), dont les lames (les cartes) sont vraiment jolies, et ma fille m'a dit : « J'aimerais bien que tu me fasses une voyance parce que je trouve ces cartes magnifiques. » Je n'étais pas tellement d'accord parce que je la trouvais très jeune (elle avait alors dix-sept ans) et je n'en voyais pas l'utilité. Malgré tout j'ai cédé. À peine assise, je lui demande de me passer huit cartes et je lui déclare : « Ton père voyage beaucoup. Il va mourir subitement, soit d'un accident de voiture, soit d'une crise cardiaque. Je pense qu'il s'agit plutôt d'un accident de la route, très prochainement. Il y aura à la suite de cela une procédure très longue et un héritage pour toi. » J'étais alors séparée du père de ma fille, et il n'avait jamais voulu la voir. Trois semaines plus tard, il se tuait en voiture en rentrant de son travail. À ce propos, j'ai une remarque à faire sur les chiffres, même si la numérologie ne me passionne pas ; cette personne était née un 17 mai, décédée un 17 décembre, quand ma fille avait 17 ans, fut enterrée dans la tombe n° 17, 77e allée du cimetière de Pantin. Ces chiffres auraient sûrement intéressé des numérologues[1], mais je n'ai aucune interprétation particulière à proposer…

Ceci étant, j'utilise surtout le Tarot de Marseille, car faire de la voyance directe est possible quelques minutes, mais la pratiquer toute la journée serait très fatigant. Les tarots permettent d'avoir une vision générale, et beaucoup de précision dans la voyance. Si on reçoit un cliché, il va être orienté

---

1. La numérologie est une voyance qui repose sur les chiffres.

dans un domaine particulier. Mais si le client attend autre chose, il faut pousser plus loin. Dans la voyance directe, il ne suffit pas d'appuyer sur un bouton pour avoir la réponse. Quand vous avez seulement quinze à vingt minutes à consacrer à une voyance, il faut aller très vite, surtout avec la voyance téléphonique. Lors des consultations en cabinet, on a plus de temps.

Au téléphone, je tire moi-même les tarots, à la place du client. Mais je vais au-delà de l'interprétation, au sens strict, de ce que disent les cartes. Quand je dis à une personne : « Hier soir, vous êtes allée dans un magasin et vous avez acheté telle marque de café », c'est de la voyance directe. Ce n'est pas de la psychologie, et cela n'est pas écrit dans le tarot. J'ai même maintenant une déformation professionnelle : quand j'ai le client en face de moi, je prends les tarots pour lui, je sors les cartes à sa place et cela marche très bien. J'arrive à entrer dans la personne, même par téléphone, au travers de la voix, grâce aux vibrations, comme si elle était en face de moi.

J'ai essayé à peu près tous les supports : pendule, boule de cristal, et les résultats sont équivalents. Le pendule est indispensable pour la radiesthésie. La boule de cristal peut apporter certains clichés de voyance. De toute façon tout est bon, même les taches d'encre. Mais, pour utiliser la boule de cristal, il faut être très expert, et avoir plus qu'une intuition.

Tout le monde peut utiliser le pendule. Inutile d'être voyant pour le faire tourner. Son inconvénient majeur est de ne pouvoir répondre que par oui ou par non, et à une seule question à la fois. C'est donc relativement long : imaginez toute une voyance au pendule, surtout si on cherche à traiter de l'avenir d'un client dans son ensemble ! Avec un tarot, vous ne posez aucune question, vous l'étalez sur la table, vous voyez une vie complète. Avec les simples cartes (dites « cartes à jouer ») vous ne pouvez pas voir une vie. Vous voyez des événements très immédiats ou des renseignements sur une personne. Mais il faut, pour les interpréter, avoir déjà quelques dons de voyance, même *a minima*, le support ne fait que vous aider, que développer vos clichés.

Il faut travailler avec le support qu'on ressent le mieux, peu importe sa nature, du moment qu'on arrive à avoir un résultat. Un voyant peut être très compétent, même s'il ne sait travailler qu'avec des cartes, des tarots, des taches d'encre ou le pendule. Sa voyance peut être aussi valable que celle d'un voyant qui n'opérera qu'en voyance directe. Elle peut même être plus développée. Je pense qu'il ne doit pas y avoir d'a priori. Toutefois, l'astrologie, employée seule, n'est pas complète. La numérologie tourne autour de neuf chiffres, et on ne peut pas faire des prédictions et des voyances continuellement avec de la numérologie. N'importe qui pourrait apprendre l'astrologie et la numérologie. L'astrologie vous donne la signalisation de la route, les grandes données, mais elle ne vous décrit pas le prochain repas chez des amis. Elle ne vous donne pas non plus de contact avec un défunt, ni ne vous précise la rencontre que vous avez eue la veille. Quelquefois ce genre de détail est très important. Lorsqu'on veut tous les aspects d'une vie, on peut ainsi avoir recours à différentes mancies ou supports, en plus de la voyance directe et de l'astrologie. Toutes les mancies sont valables, du moment qu'elles sont utilisées avec sérieux.

Quoi qu'il en soit, la voyance est intéressante à condition d'être raisonnable, et de ne pas multiplier les consultations avec les voyants. Quand on a deux ou trois avis semblables, on doit s'en tenir là.

La voyance motrice et l'écriture automatique

J'utilise l'écriture automatique[1], mais je ne la recherche pas. Je me sens prête à le faire, s'il en était besoin, mais il y a très longtemps que je ne l'utilise plus. Je crains ces contacts avec l'au-delà. Je n'accepterai pas d'entrer d'emblée en contact avec n'importe quelle entité qui voudrait me dicter quelque chose. Je ne le fais donc pas, sauf si un client me le demande pour un défunt qui lui serait proche.

Il m'est cependant arrivé une expérience de ce type. Un week-end, mon époux et mes enfants s'étaient absentés, je me suis trouvée seule dans l'appartement. Dans ma chambre j'entendis ces mots : « Prends un crayon et un papier et nous allons te dicter des messages. » Je fus très étonnée. Mais

---

1. Pratique divinatoire qui consiste à laisser la main courir sur le papier, qui peut alors se couvrir de messages plus ou moins cohérents. Pour le psychiatre, il s'agit d'une pratique dangereuse parce que trompeuse. L'inconscient peut se manifester ainsi, sans aucun rapport avec une entité extérieure.

comme j'allais de surprise en surprise, je l'acceptai néanmoins. Je me dirigeai vers la chambre de ma fille, je trouvai tout de suite un crayon. Je vis alors ma main écrire, écrire, écrire... J'avais rempli trente pages de messages ! J'avais été complètement dirigée, comme propulsée par une force invisible. La lettre débutait ainsi : « Tu seras voyante et magnétiseur – pour l'instant maintiens les deux. Ta voyance se développera encore – tu magnétiseras en silence. Plus tard, bien plus tard, tu auras une aisance matérielle mais tu n'en profiteras pas, trop occupée à des choses nobles. Chaque instant de ta vie t'apportera une évolution et tu seras guidée. Ta spiritualité évoluera. Plus tard, quand tes cheveux seront devenus clairs, très clairs, comme blancs, que tes enfants seront grands, tu seras un guide spirituel. Avant tu écriras deux livres sur la spiritualité. Avant la fin de ta vie, tu peindras de l'abstrait. » Je n'avais jamais eu l'intention d'écrire, je n'ai aucun style, et je ne sais pas peindre. En revanche, j'allais rencontrer une amie peintre. Être un guide spirituel, je n'y pensais pas, je ne voyais pas comment. Le message disait aussi : « Tu arrêteras le magnétisme pour élever tes enfants car tu seras trop fatiguée, et tu le reprendras après, tu m'as beaucoup aidée et je t'ouvre le chemin, je suis là pour te dire qu'il faut continuer, tu as une grande mission à accomplir. Je t'embrasse, je reviendrai. » Signé : Noëlle.

Cette lettre indiquait en outre le nom de la prochaine entreprise dans laquelle je serais employée. À la fin de ce message, je me sentais comme morte, j'étais livide, complètement éreintée. J'ai dû m'allonger plus de dix minutes pour revenir à la réalité et reprendre ma respiration. Huit jours plus tard, je prenais le seul emploi que l'on me proposait. Il s'agissait très exactement de l'entreprise que Noëlle m'avait indiquée.

Une autre fois, j'étais dans mon lit et j'entendis : « Prends un papier et un crayon, d'ailleurs ils sont à côté de toi et écris. Tu peindras un jour de l'abstrait et il faut penser à écrire un livre sur la voyance. Je n'ai pas ta spiritualité, ni tes dons, mais je t'aiderai surtout matériellement. Il faut continuer dans la voyance, car c'est une mission, voici une preuve de mon existence auprès de toi : tu recevras une invitation à te rendre tel jour à une manifestation spirituelle. » Cela encore était vrai.

Psychométrie[1]

Le fait de toucher quelqu'un m'aide parfois à voir, surtout quand le cliché a du mal à sortir, qu'il est un peu bloqué. Je prends la main de la personne et je reçois des clichés (je ne connais pas du tout les lignes de la main). Je peux alors lui raconter sa vie, son passé, voir si elle a des enfants, grâce à ce seul contact. Et je peux même ne pas toucher la personne, et prendre seulement un objet lui appartenant. En le touchant, en fermant les yeux et en me concentrant, je vois, je perçois sa vie. Même en son absence, lorsque je prends une montre, une chaîne, une médaille, une bague, un

---

1. Voyance qui se produit quand on touche ou qu'on manie un objet, ou même une personne.

bijou ou un objet personnel, je peux identifier la personne, donner des prévisions dans l'avenir ou voir des événements passés. Je n'ai jamais résolu d'énigmes policières, mais j'adore faire de la psychométrie.

Un jour, je reçois à mon bureau des Champs-Élysées une cliente qui me donne le portefeuille de sa mère décédée depuis deux ans. Je ressens de violents maux de tête, puis des douleurs intenses sous la plante du pied droit, plus précisément au talon et irradiant dans toute la jambe. Je vois une femme allongée sur son lit avec deux oreillers. À nouveau je ressens une douleur au cœur puis sur l'ensemble de mon côté gauche. La maman de ma cliente avait été soignée d'une verrue sous le pied deux ans avant de mourir d'un cancer.

C'est si spontané que cela me gêne parfois. Lorsque j'arrive dans un hôtel, et que je découvre la chambre, en principe la literie a été complètement changée. Mais il arrive parfois que les couvertures ou le dessus-de-lit soient remis sans avoir été préalablement nettoyés. Leur contact déclenche chez moi toute une série de clichés, concernant les précédents occupants, leurs attitudes, etc. Cela m'arrive également quand je vais dans ma famille ou chez des amis. Cela peut prendre un tour incontrôlable et désagréable. Quand je m'approche d'un ami au point de le toucher, je perçois des clichés concernant les personnes avec lesquelles il a pu être en contact. C'est parfois difficile à vivre.

Si on m'envoie un objet par colis postal, il est encore possible de faire de la psychométrie, et même sur une carte postale, à condition qu'elle ne soit pas passée entre les mains de plusieurs personnes. Je risquerais alors de capter les ondes, les vibrations de celui qui a écrit, mais aussi de ceux qui ont pu la manipuler : s'il n'y a pas d'enveloppe, cela peut être les vibrations de l'employé des postes, de celui qui a trié le courrier. Cela crée des interférences.

L'*interférence* est la superposition de clichés. Un jour, je recevais une cliente et j'eus la vision de la mort de son mari avec la date précise. Je lui dis tout simplement : « Je vois la mort dans votre maison, autour de votre époux, mais vous pouvez peut-être l'éviter. Dès que votre époux sera malade, faites-lui faire un examen approfondi. » Le mari tombe malade deux mois plus tard. Elle fait part de mes prédictions au médecin. Depuis, le mari a complètement guéri mais, à la date prédite, un drame se produisit. J'ai assisté à la réalisation de mon cliché, de manière un peu paradoxale. Le père du mari, qui vivait chez eux, s'est pendu dans leur maison. J'avais confondu le père et le fils, comme ils étaient très proches. Comment l'expliquer ? Nous n'avions pas parlé du père, peut-être la consultation n'était-elle pas suffisamment longue. Même avec l'expérience que j'ai, l'interprétation peut être faussée. Il faut toujours rester prudent.

Voyance sur photo

Un jour une cliente arriva et déposa devant moi treize photos. L'une de ces photos attira mon attention. Je pris une grande respiration, je regardai cette photo. Elle représentait un magnifique garçon de vingt-cinq ans. Je voyais un accident, mais devais-je le lui annoncer ? Je sentais cette femme fragile. Je demandais aux forces supérieures de me venir en aide, car je n'avais pas droit à l'erreur, et d'un seul coup je vis ce jeune homme monter comme une fumée dans le ciel. Le fond sur lequel il se détachait évoquait un ciel gris. Il était entouré d'une aura noire. « Votre fils n'est plus ici, il est dans l'astral[1]. Je ne le vois plus et je ne le ressens plus sur Terre. Faites attention à lui, c'est comme si votre fils allait avoir un accident grave, très grave. Il le regrettera, il aurait pu éviter cet accident ! » Cette dame s'effondra en larmes. Son fils s'était suicidé cinq ans plus tôt. C'était un beau garçon de vingt-cinq ans qui travaillait dans un grand restaurant à Paris. En partant, elle glissa discrètement sa photo dans ma main en me disant : « Dites, vous allez m'aider, n'est-ce pas, j'ai tant besoin de vous. La mort d'un enfant dans ces conditions-là, c'est éprouvant. J'ai perdu la santé depuis. » La vie des êtres sur Terre est difficile. Beaucoup ont la chance d'avoir la foi. Certains ont suivi des enseignements spirituels, et peuvent mieux interpréter les phénomènes de la naissance ou de la mort.

Je demande toujours des photos de la personne « en pied », mais il est possible de travailler aussi si la photo ne représente que le buste, comme une photo d'identité. Le sujet ne doit pas être photographié avec des lunettes de soleil. J'ai besoin de voir

---

1. Autre mot pour « au-delà », terme issu des théosophes du début du XXe siècle.

les yeux ; je pénètre dans le corps par les yeux. C'est presque une voyance directe. Pendant que la photo s'anime, j'ai la sensation et la vision d'une sorte de graphique. Avec la concentration, je sens, comme dans la vision directe, les troubles de la personne dans mon propre corps, et les organes qui sont déficients. D'un seul coup, je me mets à tousser, ou à étouffer, je comprends qu'il s'agit alors de la gorge. Je peux aussi avoir des douleurs comme lors des règles ou des colites. Je ne peux pas donner le nom de la maladie, mais je peux dire si c'est le foie ou la vésicule. Quand la photo est ancienne, je capte les événements qui se sont déroulés à l'époque où a été prise la photo.

J'ai eu un problème d'interférence lors d'une voyance sur photo. C'était il y a près de vingt ans, deux collègues de bureau m'ont confié une enveloppe contenant leurs deux photos. En effectuant les deux voyances, je vis que l'une était enceinte, et que l'autre devait partir dans un pays étranger dans les trois mois. Six mois plus tard, j'apprends que ce que j'avais prédit à l'une est arrivé à l'autre, et vice versa. Les photos avaient été tout simplement manipulées par les deux personnes avant d'être déposées dans la même enveloppe. Dans ce cas précis, on peut dire que j'ai reçu la voyance par psychométrie.

Cliché ou hallucination ?

Le cliché ne s'apparente jamais à des hallucinations, mais je suis quelquefois très impressionnée.

En voici un exemple : je ne suis pas végétarienne (je ne pense pas que ce soit nécessaire pour avoir une grande spiritualité), et je mange de la viande régulièrement. Un jour, j'ai *vu* des chevaux, en très grand nombre. Ces chevaux pleuraient en me regardant. Ils n'avaient plus de peau, ils étaient dans un grand abattoir et le sang coulait sur leurs flancs. J'en voyais qui galopaient et même qui s'envolaient dans l'astral. Ces chevaux me suppliaient de ne pas être tués et de ne pas être mangés. Cela m'a bouleversée. Je suis maintenant absolument incapable de manger de la viande de cheval. Pour moi c'est un choix définitif. Ces animaux m'imploraient tellement... Ces animaux étaient tellement proches des humains, de moi ! Ils avaient des yeux immenses, emplis d'une grande tristesse. Ils me disaient : « Nous sommes dans l'abattoir pour vous satisfaire. Toi avec tout ce que tu connais, tu ne peux pas laisser faire cela. Tu ne peux pas nous manger. C'est impossible. » Ce n'était pas une hallucination, mais cela m'a bouleversée. Je pense être un peu fragile sur le plan émotionnel, comme tout voyant. Sinon je ne pourrais rien capter...

Des messages de défunts

Certains voyants reçoivent, comme moi, des messages verbaux qui nous sont *envoyés* de l'au-delà. Le plus souvent ils proviennent de défunts parents ou amis. Jamais je ne les appelle, ils se manifestent d'eux-mêmes, quand j'ai près de moi quelqu'un qui vient de perdre un enfant ou un conjoint. Je reçois beaucoup de messages des défunts, je leur demande de s'identifier, en donnant une lettre du prénom ou quelque chose qu'il aimait : un mets qu'il préparait ou une manie qu'il avait, cela pour que mon client puisse le reconnaître. Une entité femme s'identifia ainsi : je la vois mettre dans le four un plat avec des pommes et au centre de la crème et de la confiture. Une entité homme me donna des détails précis : à onze heures il lisait son journal régional, puis il allait après le déjeuner faire une promenade de deux kilomètres.

Les gens viennent quand ils ont perdu leur mari, leur femme, un enfant, un proche... Il faut attendre à peu près quarante jours après la mort, pour que le défunt se manifeste, pour avoir la communication[1]. Quand j'ai fait un accompagnement de mourant, le défunt se manifeste, et souvent leur conjoint revient me voir. Parfois le défunt aide celui qui est vivant, disant, par exemple : « Prends cet homme-là, je t'envoie un ami. »

Une fois, dans un festival, j'ai rencontré une jeune femme. Je lui ai transmis le message suivant : « Madame, je vois pour vous un jeune enfant qui aurait eu un accident. » Je reçus son message : « Maman, pourquoi as-tu donné mon chat à la voisine, j'embrasse ma sœur Sophie que je vois, car je suis près d'elle. » L'enfant était son neveu mort d'un accident à l'âge de quatre ans. Afin de l'oublier, la maman avait donné son animal favori, un chat, à la

---

1. Certaines religions respectent ce délai, officiellement.

voisine. Je reçus un second message, cette fois du grand-père décédé, donnant des détails très précis. Ma consultante pleurait en disant : « C'est exactement cela. »

Certains disparus m'apportent des conseils sur la succession, le chiffre exact de la somme qui doit être convertie en bons du Trésor, d'autres n'approuvent pas tout à fait la distribution des bijoux dans la famille. Ces révélations font souvent pleurer la personne qui m'écoute.

Il peut y avoir des entités maléfiques qui se font passer pour les défunts. Il ne faut donc pas pratiquer systématiquement ce type de communication, qui comporte des risques...

Le magnétisme

Le « magnétisme », le fait de percevoir les maladies par les mains, voire de les traiter, est un domaine très différent de la voyance, même si la main permet de percevoir l'intérieur du corps de la personne, ses maladies ou d'autres choses, comme s'il s'agissait de voyance. Les magnétiseurs ne *voient* pas, en principe, et ont souvent besoin d'un pendule. Mais certains sont également voyants. J'en ai rencontré un, médecin, magnétiseur, ostéopathe et voyant. Dans mon cas, on dirait que je possède « une voyance magnétique » : je perçois des vibrations et des clichés, en touchant les personnes, et même uniquement avec les photos. Si je peux donner une confirmation, je n'apporte jamais de diagnostic. Je ressens les mêmes effets avec les animaux.

Un jour je recevais pour une voyance une femme, qui me demanda la permission de faire entrer sa mère, très âgée, dans mon bureau. Elle voulait que je regarde ses genoux. J'ai touché ses genoux. Le lendemain après-midi, je recevais un appel téléphonique de ma cliente. Elle me déclarait avec une grande joie : « Maman court comme une jeune femme de trente ans. Pouvez-vous la magnétiser à distance ? » J'ai accepté, durant dix semaines, chaque jour. Après quelques séances, cette femme était soulagée, ses jambes désenflées. Dès le premier jour, un transfert s'était établi entre nous. Mais je suis restée plusieurs jours déprimée, avec les jambes lourdes et l'impression d'avoir quatre-vingt-dix ans !

Le voyage astral

Le « voyage astral », j'en faisais, toute jeune, sans m'en rendre compte. Pour moi, cela venait naturellement après une méditation. Il peut être provoqué par différentes méthodes, mais je m'y suis toujours refusée. Je le déconseille : il peut être dangereux, parce qu'il n'est pas contrôlé. Le voyage astral présente deux risques majeurs : celui de préférer ce genre d'expériences à la vie quotidienne en une sorte de fuite, et celui de capter une mauvaise influence. Dans tous les cas, il faut être très au calme et le pratiquer dans un grand silence : pas de téléphone qui sonne, pas de chien qui aboie, de sonnette qui retentit, car il est dangereux d'être réveillé brutalement. Maintenant j'en fais presque tous les jours, et sans aucun danger pour moi, car j'ai acquis l'expérience nécessaire.

Voici une histoire étonnante : mes clientes me demandaient souvent si l'amour vrai existait. Un jour, après une méditation, je fis une sortie en astral que je n'avais pas provoquée. Cette sortie fut surprenante, car elle répondait de façon inopinée à leur requête : l'amour vrai m'a été montré. Voilà en quoi consistait la vision : je me représentais l'ensemble de mes clientes ; j'étais face à un homme qui m'attendait. Une lumière éclatante descendait sur nous, il me prit dans ses bras, ce fut une fusion totale. Nous nous prenions les mains, nous nous embrassions. J'étais bouleversée par l'émotion. Une paix indéfinissable nous enveloppait. Nous entendions chacun notre cœur palpiter au rythme de la Terre. Notre amour était si intense qu'il avait dépassé le plan sexuel pour entrer dans le plan cosmique : je vivais l'Absolu. Nous nous étions retrouvés, chacun était une partie de l'autre. Cette expérience est indescriptible. Lorsque je suis revenue à mon corps physique, un immense bonheur m'entourait, j'étais devenue une autre femme. Tout me paraissait positif dans ma vie. Il n'y avait plus aucune place pour le négatif. Je traversais seulement des plans d'évolution intérieure, avec des prises de conscience permanentes et des transformations extérieures et intérieures. Quelle extraordinaire expérience ! Tout était devenu subitement harmonie dans mon existence. Je ressentais que tout ce qui n'était pas harmonieux était repoussé de ma propre existence. L'authenticité exsudait par tous les pores de ma peau. Tout était positif et programmé par le divin plan cosmique. Peu à peu, je repris conscience, je vécus mon entrée dans mon corps comme une main qui enfile un gant, et j'étais profondément heureuse. J'avais reçu la réponse que toutes mes clientes attendaient. Je ressentais pour elles le Sacré, l'Amour authentique, les valeurs nobles en tout être et en toute chose...

4

La vie quotidienne d'une voyante

Rencontrer la solitude et la souffrance

Dans la vie, tout n'est pas rose ; c'est une évidence, mais il faut la rappeler. Ainsi, je rencontre la solitude chez des gens de tous âges : chez la jeune femme de vingt ans comme chez l'homme âgé. Elle est souvent atroce. Heureusement, elle n'est pas permanente, mais tout le monde connaît un passage de solitude, même seulement d'une semaine ou deux. Quand les gens plongent, ils m'appellent et je suis là. Il paraît que j'ai une voix qui réconforte, et que je les aide quand ils sont prêts à basculer complètement. Cela peut être des choses très simples : un jour, j'avais au téléphone une personne de Cannes que j'avais aidée longtemps auparavant. Elle avait eu des moments euphoriques depuis, mais elle me disait qu'elle n'en pouvait plus. Par mes propos, je l'ai alors obligée à se rendre à son travail, et elle m'a rappelée le lendemain : elle y était allée et se sentait nettement mieux. Je n'ai pas seulement donné des conseils, j'ai aussi prié pour elle et j'ai utilisé des techniques de protection dont je parlerai plus loin.

Mes facultés paranormales m'amènent à connaître la souffrance qu'on ne m'exprime pas. Voici un exemple, qui se situe quelques mois avant la mort de mon amie Françoise, il y a donc déjà longtemps. Nous soutenions ensemble Annie, une jeune femme en difficulté. Connaissant les problèmes de cette jeune femme et sa grande déprime, je me suis permis un soir de la joindre au téléphone, car je ressentais un appel intense de sa part. Effectivement, elle m'exprima une grande détresse : « Je n'ai plus rien à manger, et mon jeune frère n'a pas de travail. J'emporte des quignons de pain et un yaourt du restaurant d'entreprise. J'ai honte, et j'ai des vertiges de faim. » J'ai rassuré cette femme et me suis rendue immédiatement dans un supermarché, puis chez elle. Peu de temps après, au cours de réunions que je menais dans un but de réflexion, il a été décidé que nous aiderions Annie, par des vivres et des chèques. Beaucoup d'amis se sont joints à nous, et quelques semaines après la mort de Françoise l'association fut créée. Nous avons aidé d'autres personnes, et préparé des repas de Noël pour de jeunes enfants seuls avec leur mère. J'étais toujours heureuse d'apporter au nom de tous un chariot de vivres à ces enfants, qui n'avaient même plus de pain ni de lait. Nous avons ouvert récemment au sein de cette association un groupe de prière constitué de cinq personnes. Nous ne prenons que trois ou quatre cas à la fois, considérés comme désespérés. Nous demandons de l'aide à d'autres groupes de prière, à Paris ou ailleurs, comme en Normandie. Tout se fait dans l'esprit du Divin, de la fraternité et de la spiritualité.

La voyante comme conseil et comme guide

Il y a des personnes qui n'attendent de moi que de la voyance. Pour d'autres, mon rôle est beaucoup plus important, je les prends en charge pendant des années, jusqu'à ce qu'ils puissent voler de leurs propres ailes. Il m'arrive aussi de recevoir des lettres de personnes que je n'ai jamais vues. Une me dit, par exemple : « Mes affaires marchaient bien, j'avais des marchés importants et soudain je perds tout... Faites quelque chose pour moi, pour que mes affaires redémarrent, je compte beaucoup sur vous. » Je suis comme le bon Dieu pour ces gens, ils attendent des miracles. Il faut pourtant que les consultants sachent que nous sommes des êtres humains comme eux, et uniquement un canal pour les forces d'Harmonie.

La voyance ressemble à une sorte d'amour universel, dans le respect de l'autre, de l'être dans toute sa profondeur et sa dignité. Si parfois je vais chercher loin dans le cœur de la personne, c'est pour mieux l'aider à s'élever vers la Lumière et le Grand Architecte, Créateur de l'Univers. Dans toutes mes voyances, je fais passer ce mot amour, même si mes clients ne le ressentent pas toujours. Je vis leurs épreuves et je souffre dans mon être en parcourant leur vie, mais je vis également leurs joies. Je suis parfois dure avec eux, mais je ne leur mens jamais sur leur sort.

Le rôle du voyant est d'aider, de guider, et non pas de décider à leur place. Tout dernièrement, j'ai vu un jeune homme de vingt ans, étudiant à la faculté, ayant beaucoup de capacités et un vrai don pour la peinture. Ce garçon voulait se suicider, il avait cette idée fixe depuis à peu près un an ou deux. Je l'ai orienté vers une psychanalyse. Malgré cela, il est revenu me voir quelque temps après, toujours dans cet état dramatique. Il m'a demandé de l'éclairer. Lors de la consultation, je vois effectivement sur lui le suicide, la mort qui rôde. Je lui explique que, même dans les pires cas, il y a deux chemins, le suicide ou bien une voie de lumière, de courage, de lutte, de réussite. Je lui parle, mais il reste très négatif. Son aura déborde de gris et de noir. J'ai l'impression que subitement mon bureau est imprégné par cette négativité qu'il rejette, et que j'absorbe moi aussi. Je tape du poing sur la table en lui montrant tous les avantages de la vie, du côté positif. Je refuse pour lui ce suicide...

J'en arrive à me demander si c'est réellement le rôle d'un voyant, si nous ne devons pas simplement donner nos clichés et en rester là. C'est très difficile quand un client déclare que la vie est insignifiante, qu'elle est inintéressante, qu'elle ne vaut pas la peine d'être vécue. Ce jeune homme attendait un résultat immédiat, une réussite brillante, sans faire l'effort nécessaire. Je lui ai fait part de mes clichés, mais il attendait autre chose. Il m'a demandé si je voyais réellement sa prochaine réussite professionnelle et financière... Évidemment il est préférable de partir plein d'espoir, car les tumultes que nous rencontrons nous limitent déjà assez ! Je ne trouve pas l'ambition mauvaise en soi, car elle peut propulser vers autre chose. Mais comment lui faire comprendre qu'on peut atteindre la réussite matérielle, tout en poursuivant un chemin spirituel ? C'est pourtant le cas : quand la réussite arrive, on ne s'y attarde même plus parce que l'on a tellement travaillé sur soi, on a gommé tant d'éléments que le *paraître* a perdu tout son intérêt. On découvre que le succès est, en fin de compte, uniquement un canal pour servir les autres ou faire passer un message.

J'ai essayé de faire comprendre tout cela à ce jeune consultant. Je lui ai interdit d'être négatif. Je l'ai rassuré et lui ai envoyé beaucoup de pensées d'amour. Son état psychique était dû à une enfance très tumultueuse. Il attendait sans attendre, il ne savait plus où il en était. Il m'avoua être homosexuel. Il avait découvert cette homosexualité récemment, et il la vivait mal. Il espérait beaucoup de choses de la vie et, tout à la fois, il voulait mourir. Je lui ai rappelé que des enfants condamnés par des maladies graves attendaient pendant des années la guérison qu'ils n'auraient jamais, et lui voulait se supprimer ! J'ai parfois envie de prendre par la main ces êtres qui se plaignent de leur sort et de les amener près des enfants qui sont proches de la mort. Ce contraste me frappe toujours, quand je vois des gens qui veulent se suicider alors que d'autres, qui sont dans un état proche de la mort, se raccrochent désespérément à la vie, en y mettant toute leur énergie.

Mon rôle est de servir de canal pour transmettre l'information, et non de juger. Il faut demander ardemment, du fond de son cœur, de pouvoir servir d'instrument et ne surtout pas permettre au doute ou bien à la vanité d'interférer. Sur notre chemin, il y aura toujours quelqu'un de plus évolué qui nous apportera quelque chose. À notre tour, nous aiderons les autres par notre comportement, notre rayonnement et nos idées. Plus nous serons clairs, purs, plus la lumière passera à travers nous et plus notre rayonnement illuminera le chemin des autres. L'être qui cherche la satisfaction, l'assouvissement de ses besoins personnels, s'apercevra tôt ou tard qu'il existe d'autres niveaux, d'autres points d'extase plus profonds et plus durables. Tout besoin, toute satisfaction matérielle doit ouvrir sur le spirituel, apporter l'élévation et non la régression.

Il y a des moments où chacun de nous craque ou bien est sur le point de craquer. Il faut appeler les énergies, les courants, la lumière, les « Forces Supérieures », avoir recours à la prière, avoir la foi, le courage, que l'on soit croyant ou non. J'ai toujours tenté de faire passer à chacun ce message comme celui de la Paix, même si je sais que c'est difficile. Chacun doit pouvoir retrouver son milieu d'élection pour mieux vivre le quotidien, rempli de toutes sortes de contraintes. L'être armé de courage et de volonté surmontera beaucoup mieux les épreuves de la vie au quotidien.

Nous n'avons pas tous la même évolution sociale, intellectuelle ou spirituelle. Si en plus d'une certaine volonté, nous avons la foi, que nous priions d'une façon efficace, une force, un courant d'énergie descendra vers nous. Plus le degré de foi atteint est élevé, plus les choses se mettent en place d'elles-mêmes. Il faut que chaque être parvienne, par son travail personnel, par ses efforts, à atteindre un niveau spirituel suffisant pour accéder aux forces qui constituent la source d'énergie de l'Univers, et les faire descendre sur lui...

Le voyant « au service » du client

À un certain moment de ma vie, je laissais le téléphone branché même le dimanche, car les personnes qui m'appelaient ce jour-là n'étaient pas des consultants comme les autres, mais des gens qui vivaient dans une profonde détresse, et parfois cette détresse dure de longs mois. J'ai eu la chance de pouvoir faire cela durant des années. Les gens téléphonaient dès sept heures jusqu'à vingt-trois heures. Après, je n'ai plus fait face à ces appels, ma clientèle était devenue trop importante, et je préférais m'occuper des êtres aux portes de la mort.

Certains clients consultent trop, demandent une consultation tous les deux jours, ou même tous les jours. Je n'ai plus rien à leur dire. Je leur demande d'attendre que les événements se produisent ! J'ai des clients qui vont par ailleurs voir un médecin ou qui sont suivis par un psychothérapeute. Le problème auquel je me heurte alors est celui d'une forme de dépendance chez le patient. Certains refusent de se prendre en charge. Ils me demandent plusieurs fois la même chose : si j'ai bien vu, si ce que j'ai vu va bien arriver, etc. C'est surtout dans les cas de ruptures sentimentales, parce que c'est difficile à vivre. C'est parfois très long d'attendre, et, en plusieurs mois, la personne a le temps de déprimer. Pendant ce temps, il faut qu'elle vive. Si elle n'a pas le soutien d'un psychothérapeute ou d'une voyante, c'est dur... Si elle est croyante, je lui conseille de dire des prières, mais si elle ne l'est pas, c'est autre chose ! La voyance, lorsqu'elle est bien faite, est un sacerdoce.

Il se crée une sorte d'intimité entre le voyant et son client. On entre en contact avec les gens. On pénètre dans leur vie privée, leur sexualité, les choses les plus intimes. Dans l'ensemble, les contacts sont aisés. Mais certaines voyances sont difficiles, les clients ne sont pas en harmonie avec moi. Ils ne veulent pas se plier à certaines règles. Une grande franchise, une droiture et une honnêteté de part et d'autre sont nécessaires pour que la voyance soit la meilleure possible. Dans certains cas, il faut d'abord que j'essaie d'aimer un client désagréable. Parfois, je ne l'accepte pas en consultation ; je me dis que cette personne sera plus en harmonie avec un autre voyant. Je veux faire un travail sérieux, et avoir aussi une clientèle qui est en harmonie avec moi. Un voyant n'est pas comme une sonnette, sur laquelle il suffit d'appuyer pour avoir tout, à volonté.

Comme je l'ai dit précédemment, tout au début de mes expériences je ressentais une grande fatigue dans la rue, dans les transports en commun, car je recevais continuellement des clichés en regardant les gens. J'étais épuisée. J'envoyais de bonnes pensées à des malheureux que je sentais sans argent, sans travail ou malades. Bien souvent leurs visages exprimaient tout cela à la fois : j'y lisais la faim, l'espoir ou le désespoir. J'étais bouleversée et je rentrais à mon domicile, déprimée, comme si je leur avais donné toute mon énergie. Chez moi, je pensais encore à eux. J'étais si impuissante devant leur détresse! J'ai appris plus tard à maîtriser tout cela par le travail que j'ai fait sur moi-même. Les enseignements spirituels que j'ai reçus m'ont beaucoup apporté et ont contribué à la richesse de ma vie intérieure. Je n'entre plus en voyance systématiquement, j'ai su fermer les portes à toute clairvoyance et les ouvrir selon les besoins.

Accepter les prédictions

Les gens ont parfois du mal à accepter mes prédictions, parce qu'elles ne correspondent pas à leur attente, ou pas à la vie telle qu'ils la conçoivent. Un jour, je reçus un faire-part de mariage. C'était celui d'une cliente à qui j'avais annoncé ce remariage après son veuvage. Elle ne voulait pas se remarier, sous aucun prétexte, et était repartie en riant et en déclarant qu'elle ne croyait pas à cette prédiction, qu'il ne fallait pas lui en vouloir...

Autre histoire : je recevais un jour, à Paris, une cliente qui avait été satisfaite de ma précédente consultation, deux ans auparavant. Elle avait rencontré le compagnon que j'avais vu pour elle. Malheureusement, cette fois-là, je ne vis pas d'acte officiel, pas de mariage, mais une union libre et heureuse durant quelques années. Elle était furieuse de ce que je lui annonçais, refusant le principe du concubinage.

De même, une commerçante est venue me voir parce qu'elle avait presque tout perdu, ami, meubles, logement. Elle était en découvert à la banque. Il ne lui restait plus que son travail qu'elle perdit par la suite. Je lui annonçai qu'elle plongerait encore légèrement mais qu'elle remonterait très vite. Je voyais pour elle une union avec un homme très fortuné. Elle a perdu son emploi, et a rencontré cet homme avec lequel elle vit depuis, entre Cannes et Paris, d'une manière fort agréable.

J'ai reçu plusieurs fois une cliente, dont la vie devenait un enfer : son mari avait perdu son emploi et se mettait à boire et à grossir. Il devenait violent. Ma cliente voulait partir, mais elle payait les traites de sa maison. À maintes reprises je l'ai réconfortée, et un jour je vis le décès de son mari. Je l'ai aussitôt suppliée de rester dans sa maison en lui donnant cette prédiction. J'ai reçu deux mois après une carte m'annonçant le décès de son mari. Cet homme prenait des calmants. Le 31 décembre il s'est couché après avoir trop bu. Ma cliente a entendu un râle, venant de la chambre du mari, qui se mourait.

Parfois, mes prédictions sont surprenantes. Une fois, des jeunes sont venus me voir. Je leur dis : « Vous allez acheter une maison. » Ils me disent : « Non, c'est impossible, nous n'avons pas l'argent. » J'insiste : « Vous verrez deux maisons, mais celle que vous achèterez sera entourée de framboisiers. Il y en aura partout. » Quelque temps après, ces jeunes gens ont effectivement acheté une maison à Antony, et il y avait tellement de framboisiers qu'ils ont dû en arracher. Le plus curieux, c'est qu'ils n'avaient rien vu lors de leur première visite, à la nuit tombée. Quand ils sont allés chez le notaire, ils n'avaient toujours pas vraiment regardé le jardin, et c'est après qu'ils ont découvert les framboisiers.

D'autres gens sont venus me voir pour l'achat d'un hôtel-restaurant. « Non, leur dis-je, vous ne prendrez pas celui-ci. Il faut visiter la cuisine, il y a des appareils qui ne fonctionnent pas. Tout doit être remplacé. Allez dans les chambres, la literie est en mauvais état. » Tout cela était exact et ils ne l'ont pas acheté.

Les gens incrédules aussi me consultent. Je garde, par exemple, le souvenir d'un ami me déclarant : « Les gens sont vraiment stupides de venir te voir, tu dois voir des gens détraqués. Jamais je ne ferai cette démarche, il faut faire face à ses problèmes. L'homme fort n'a pas besoin de connaître son avenir. » Je n'ai pas voulu répondre. Six mois plus tard, il sonnait à ma porte, bouleversé et en larmes. Sa femme l'avait quitté. J'ai mis des mois à l'aider, pour éviter qu'il ne se suicide, lui annonçant le bonheur qu'il allait bientôt connaître. Mais sa négativité l'enveloppait, il ne croyait plus en rien, ni en ce que je lui disais, jusqu'au jour où il rencontra la femme que je lui avais prédite depuis longtemps.

Il y a des personnes qui essaient de me piéger, qui me disent : « Ce n'est pas vrai. » J'ai le cas d'un client algérien. Tout ce que je lui ai prédit, en cinq ans, est arrivé. Par la suite, il est venu me voir spécialement d'Algérie. Je lui déclarai alors qu'il avait une maîtresse. Il me dit : « Non, ce n'est pas vrai. » Je connaissais son épouse. Il a nié pendant toute la consultation. Il est revenu me voir un peu plus tard, et il m'a avoué qu'il avait voulu fausser la voyance. Il y en a beaucoup qui agissent ainsi. J'ai vu dernièrement une femme qui me répondait non à chaque chose que je lui annonçais. C'est perturbant pour un voyant. À force de s'entendre dire non vous ne savez plus où vous allez. Cela mine la communion client-voyant, qui ne peut plus s'établir.

C'est pourquoi les témoignages sont absolument nécessaires. J'annonce parfois des choses tout à fait paradoxales, surprenantes, plusieurs mois, ou plusieurs années à l'avance. Si je ne vois plus les gens, comment savoir si ce que j'ai dit est exact? C'est pourquoi nous avons besoin de preuves. Ces preuves sont importantes. Elles n'ont pas pour objet de défendre le blason de la parapsychologie, mais elles précisent la justesse de certaines images que nous pouvons avoir.

Interaction voyant-client

Il est très important qu'il y ait un contact entre le client et le voyant. Mais, contrairement aux échanges habituels, le contact peut être parfaitement silencieux. Par exemple, lors d'une voyance par téléphone, je demande aux clients de ne rien me dire. Je donne les clichés que j'ai et ensuite je demande si cela est exact. Cela me permet une sorte de plan que je développe ensuite, la voie est ouverte. La qualité de la voyance dépend très largement de la qualité des relations établies avec le client, ce qui varie suivant les gens. Cela a moins trait à la langue elle-même qu'à la culture de la personne. Néanmoins je vois aussi bien pour les étrangers que pour les Français de souche.

J'ai parfois des répulsions, des antipathies, pour certains nouveaux clients que j'ai au téléphone. C'est souvent parce que je sens que ces personnes ne sont pas honnêtes. Elles donnent un faux numéro de téléphone, ou de faux rendez-vous. Certaines refusent absolument de donner leur numéro de téléphone. En principe, ces personnes-là ne m'intéressent pas. Je ressens immédiatement la personne dès que je lui demande son numéro de téléphone. En fait, je sais dès le départ que la personne n'existe pas à ce numéro. Je le leur dis, et j'évite ainsi bien des dangers ou des déconvenues.

Il y a également des clients très négatifs. En effectuant une voyance, je pénètre tellement dans leur univers, qu'il faut m'en dégager. Pour ces cas très durs, il faut parfois se dévouer. Quand un client a l'idée de tuer quelqu'un, vous avez beau lui expliquer toutes les conséquences de son acte, la personne ne saisit pas toujours le message, si même elle accepte de vous entendre. Un jour, une femme, en fin de consultation, me jette mes honoraires sur la table, en hurlant que je suis une mauvaise voyante. Elle venait uniquement pour que je fasse mourir quelqu'un. La présence de cette personne, à elle seule, suffit à noircir mon bureau. Je dois le dégager de ces mauvaises ondes avant de recevoir à nouveau. Mais, pour une raison que j'ignore, c'est souvent la dernière personne de la soirée.

Ces personnes ne viennent pas vraiment par méchanceté. Elles vous apportent ce qu'elles sont et leur souffrance. Elles ne sont pas agressives envers le voyant, car elles ont, en fin de compte, besoin de réconfort. Lorsque cela est possible, j'essaie donc d'orienter leurs pensées vers des buts plus nobles. Quand c'est impossible, je dis ce que j'ai à dire, je les mets en garde contre tout ce qu'elles peuvent faire de mal et contre un *choc-en-retour*. Mais lorsque quelqu'un cherche à nuire, il est complètement aveuglé par sa propre haine. Toutes les conséquences de nos actions ne sont pas palpables. Le client ne pense pas qu'il puisse y avoir un choc-en-retour de certains de ses actes. Il y a des gens purs, mais il y en a aussi d'obscurs. L'obscurité de ces personnes ne peut pas être tout de suite transformée. Ainsi, comme me l'a dit ce médecin voyant, « n'allez pas n'importe où, avec n'importe qui, n'importe comment ». En voyance, c'est souvent très difficile. Comme un psychothérapeute ou un psychologue, on ne sélectionne pas sa clientèle. Nous sommes là pour servir, pour aider tout le monde. Néanmoins, dans l'enseignement que je suis, on nous dit de faire un choix dans nos contacts.

Cet enseignement m'est très utile dans ma pratique. Il m'apporte des idées utiles et il constitue une protection. Ce que l'on appelle un *égrégore* (l'union des forces mentales d'un groupe d'individus, qui crée une synergie puissante entre les forces de chacun). On est protégé par l'égrégore parce que chaque membre du groupe travaille de manière harmonieuse et positive pour s'élever dans la pureté. Par ce travail, des barrages aussi naturels que possibles s'élaborent et vous protègent. En méditant, en priant, on se purifie. Au contact de la nature, on se nettoie de toutes ces impuretés. Plus on évolue sur le plan spirituel, plus on se dégage vite.

Je vois assez bien les auras. Cela me permet de faire un tri. Quand je vois une personne tout à fait noire, je fais attention. Pour faire ma voyance, j'entre dans la personne, et donc dans l'aura. En même temps, il y a une pénétration de la personne en moi. Il faut donc que je me protège avant qu'elle n'entre en moi. À l'inverse, j'ai parfois, comme consultants, des maîtres d'ordres initiatiques... Dès qu'ils franchissent le seuil de mon bureau, je vois leur aura, des vibrations, comme une couronne de lumière, un scintillement très beau, très brillant, un peu comme la lune. Mais je ne me fonde pas sur les auras pour faire ma voyance. C'est juste un *plus*.

Je suis très sensible aux vibrations des gens. Mon premier guide était un médecin. J'avais pris rendez-vous pour un trouble très banal et, dès la première consultation, ses vibrations m'ont poursuivie dans la rue, jusque chez moi. C'est un homme d'une grande spiritualité, dont je suis restée proche, ainsi que de son épouse. J'avais d'emblée perçu tout le travail qu'il faisait, en observant les couleurs de son aura. Plus les êtres sont purs, plus leurs vibrations me paraissent brillamment colorées. Ces vibrations sortent des gens, et scintillent comme un feu d'artifice, ou comme ces petites mèches qu'on allume dans les sapins de Noël, et qui jettent des étincelles. Et en plus je les entends crépiter ! Je vois cela autour des gens évolués. Je le perçois également sur les photos, et même par téléphone. Pour un initié, je suis capable de préciser à quel ordre il appartient, et même son degré hiérarchique. Je me trompe rarement. Il peut y avoir différentes couleurs, des jaunes, de l'or ou de l'argent, du blanc... Je dis

5

Voyance, vie personnelle, développement spirituel

Voir pour soi

Je vois pour moi et cela ne me gêne absolument pas, bien au contraire, cela peut s'avérer tout à fait positif. À l'époque où nous étions encore dans un appartement en location, je reçus un jour un cliché m'annonçant l'achat d'une maison, ce qui était étonnant, car ce n'était pas prévu ! Je pris des tarots pour vérifier ce cliché, car cela pouvait être un fantasme ! Six semaines plus tard, nous achetions la maison dans laquelle nous avons longtemps vécu...

Généralement, quand je vois quelque chose qui me bouleverse, je téléphone tout de suite à des confrères ou des consœurs. J'appelle souvent une consœur qui a quatre-vingts ans et qui ne s'est jamais trompée ; c'est d'ailleurs maintenant une amie. J'ai aussi un confrère, auprès de qui je prends souvent conseil. En dehors de ces personnes-là, je consulte parfois des voyants qui me connaissent et d'autres qui ne me connaissent pas. Ils ne savent donc pas, *a priori*, que je suis voyante. En principe

ces voyances se superposent. Si elles ne correspondent pas tout à fait, cela tient à la précision de
leurs détails. Un voyant a eu certaines précisions
que l'autre n'a pas vues, et vice versa. Ma propre
voyance est généralement bonne ; je pressens à peu
près tout. Si j'ai un problème d'argent, je le vois. Si
j'ai une rupture affective, je la vois. Cela ne me
gêne pas. J'y suis préparée, et j'essaie de modifier
certains événements, par la prière, la méditation et
les enseignements. Cela m'aide beaucoup de le
savoir d'avance. Il y a en revanche certains faits
désagréables, qui me sont annoncés, mais que je ne
peux éviter, quoi que je fasse. Je pense qu'il s'agit
alors d'épreuves que je dois franchir et donc que je
dois accepter.

Pour moi, la voyance n'est pas une charge. Peut-
être, au début de ma carrière, la ressentais-je ainsi,
mais maintenant je pense que c'est un avantage. Je
suis ravie d'être voyante et de voir pour moi-même.
Si c'est parfois négatif, je sais que le négatif aboutit
à du positif. Il n'y a pas de hasard. Tout est voulu
pour mon évolution, pour ma progression. Cependant, tous les voyants ne voient pas pour eux-
mêmes. C'est un phénomène que je ne m'explique
pas. J'ai rencontré un voyant, qui ne voyait rien du
tout pour lui, il venait me consulter pour connaître
sa vie…

Dans les clichés me concernant, je pourrais
craindre d'avoir parfois du mal à différencier un
souvenir, un désir et un cliché de voyance. En principe je n'ai aucun mal à les distinguer. Par exemple,
j'ai vu que j'achèterais un appartement à Cannes, et
que je m'y installerais. Pour l'instant cela n'est pas

arrivé. Je n'ai ni l'argent ni les possibilités familiales de m'y installer. Lorsque je suis allée à Cannes, je louais un appartement ou un bureau dans un hôtel. Cela a pu entraîner une confusion. Pendant un moment j'avais très envie d'avoir un appartement dans cette ville. Ai-je pris mon désir (ou mon fantasme) pour un cliché de voyance ? C'est possible. Il suffit d'attendre ! En revanche j'avais vu, il y a très longtemps, que j'allais écrire plusieurs ouvrages. Là, il ne s'agissait pas de fantasmes, puisque cela s'est réalisé, au moins pour un.

Une éthique de la voyance

La voyance doit rester désintéressée : on pourrait, bien sûr, tenter de connaître des informations sur autrui, des choses qu'il voudrait vous cacher. Il faut absolument s'en garder. Ce n'est pas le comportement adéquat. Il faut savoir fermer sa voyance, ne pas l'utiliser à l'insu de qui que ce soit. Si nous désirons conserver une voyance claire, il faut être nous-mêmes d'une très grande clarté spirituelle. Nous n'avons pas le droit d'intervenir dans la vie privée des gens en dehors de leur demande.

Cela concerne également mes proches : j'ai des prémonitions, des clichés spontanés concernant mes amis, ma famille. S'il m'arrive de les utiliser, c'est toujours au bénéfice de ces personnes. Mais ces messages ne sont pas toujours écoutés, parce que, parfois, ils dérangent. Ces personnes ont un travail à faire sur elles-mêmes, elles ne prennent pas cela pour un avertissement et ne veulent pas faire d'effort. Ces voyances se manifestent aussi par des rêves, même si c'est très rare.

Je peux avoir des informations, de manière inopinée, sur des faits ou des gens que je ne connais pas, et que je n'identifie qu'après. C'est, par exemple, le cas du médecin cité plus haut, celui qui a été un de mes premiers guides spirituels et qui est toujours de très bon conseil, tout comme son épouse. J'avais fait un rêve à son sujet, et c'est peu de temps après que je l'ai rencontré, ce qui a eu une importance capitale dans ma vie. Cet homme et son épouse sont des êtres très évolués spirituellement. Quand j'ai eu ce rêve, c'était comme l'avertissement de la rencontre d'un maître à un élève. En l'occurrence, c'était moi qui étais l'élève. Même si je ne peux pas dire que je l'ai rattrapé maintenant, la distance sur l'échelle d'évolution est moins grande entre nous qu'au début. Pour moi, sa femme et lui sont de véritables béquilles, car ce sont des personnes lumineuses. Je les appelle « béquilles », car il m'arrive parfois, dans un moment de désarroi, d'avoir aussi besoin de parler à quelqu'un. Je les appelle et les vois. Je repars chargée d'une énergie que j'ai retrouvée en moi ou que je capte alors dans la nature, ou à la suite de prières ou de méditations.

Je trouve souvent la solution toute seule, et parfois la sagesse, mais pas toujours... Beaucoup de clients pensent que je n'ai jamais de problèmes : « Vous voyez tout ; une femme comme vous n'est jamais perturbée par quoi que ce soit ! » Ils se trompent. Je suis un être humain.

J'essaie aussi de transmettre mon don, car je considère que la voyance est un *plus* dans la vie, même si cela présente parfois des inconvénients. Voir pour soi peut aider à gérer certains événements de l'existence. C'est dans cette optique que j'essaie de communiquer ce don. Parfois, je me dis que, si tout le monde voyait, cela simplifierait bien des choses. Les contacts seraient meilleurs et beaucoup plus harmonieux entre les hommes. Cela obligerait les gens à faire preuve d'une bien plus grande honnêteté vis-à-vis d'eux-mêmes et des autres...

Quand je donne des conférences, je propose parfois aux participants de se mettre par deux et de se détendre complètement, de se mettre en état de relaxation. Ils doivent rester dans le silence, et surtout ne poser aucune question. Il arrive alors souvent qu'ils reçoivent des clichés de l'autre personne. C'est plus facile s'ils ne savent rien de la personne qu'ils ont en face d'eux. Il faut laisser venir toutes les images qui se présentent, même si elles n'ont aucune signification apparente, même (ou d'autant plus) si elles sont bizarres. Après dix minutes environ, j'arrête l'expérience, et je demande aux gens ce qu'ils ont vu. Parfois des gens tout à fait inexpérimentés font des expériences très significatives !

Voyance et vie personnelle

Contrairement à ce qu'on dit, la voyance n'est pas l'apanage de la femme. On dit que les voyants hommes sont souvent homosexuels. Ce n'est pas vrai, mais ils ont tous des vies affectives difficiles, des problèmes avec leur conjointe s'ils se marient. Mais souvent ils ne se marient pas... En fait, n'importe qui peut être voyant, ou même acquérir la voyance d'un seul coup. Néanmoins, les voyants, hommes ou femmes, ont des *drôles* de vie, surtout au niveau conjugal. J'ai eu moi-même de nombreux problèmes sentimentaux. J'ai une amie, qui a soixante ans. C'est une femme très belle qui ne s'est jamais mariée. Elle se dit qu'il fallait probablement qu'elle reste disponible pour les autres. Elle est très spirituelle, et capable de faire même des désenvoûtements, ce qui est une chose redoutable, très difficile.

Je me demande pourquoi les voyantes ont ce genre de vie. Je suis moi-même une femme passionnée, avec probablement un côté émotionnel assez perturbé. Pour être voyant, on doit avoir une sensibilité qui dépasse la normale. Mais je suis toujours tombée sur le même genre d'hommes, souvent très difficiles... On attire certaines personnes parce qu'on est bien souvent leur sauveur. Est-ce nécessaire pour notre évolution? Certains êtres sont probablement utiles et sont mis sur notre chemin pour nous faire avancer spirituellement. Actuellement je me rends compte qu'il n'y a rien de totalement négatif dans ma vie, même si elle a des aspects pénibles. C'est, dans l'ensemble, une vie merveilleuse, une véritable initiation.

Il y a cent cinquante ans j'aurais probablement été brûlée sur un bûcher. Maintenant tout le monde se vante de posséder la voyance. Néanmoins, nous ne sommes que tolérés, et la voyance n'est pas toujours reconnue en tant que profession.

Il y a des hommes qui sont de très grands voyants. Mon ami Nathaniel disait qu'il avait acquis la voyance à trente-cinq ans, après avoir fait un pari avec des amis ! C'était pour lui tout à fait accidentel. Il était néanmoins un excellent voyant. À la fin d'un festival, il est venu me dire : « Toi tu seras une voyante, il y a longtemps que tu devrais avoir quitté ton secrétariat. Tu n'as rien à y faire ». C'était un homme extraordinaire. Je l'aimais beaucoup.

D'où vient la voyance ?

On prétend souvent que les voyants sont *tombés sur la tête*. C'est vrai en un sens. Nombre d'entre eux ont eu un accident, une grave opération, ou un choc émotionnel. J'ai eu les trois : à dix-huit mois je suis tombée d'une terrasse, plus tard, à douze ans, j'ai eu une petite tumeur non cancéreuse derrière l'oreille, à trois millimètres du cerveau, et l'on dut m'opérer de toute urgence, ce qui m'évita la mort. L'incidence des accidents est une chose connue. Certains constatent que la voyance survient après un choc électrique, ou une intervention chirurgicale importante, surtout à la tête...

On ne peut pas dire que la prière ou une attitude religieuse favorise la voyance. La voyance m'est arrivée à une époque où je ne priais pas. Je crois qu'il faut seulement avoir une grande sensibilité. Le voyant José Ange me disait : « Si vous saviez comme les gens sont méritants, avec les vies dures que je leur annonce. Ils ont le mérite de les traverser. » Comme lui, contrairement à ce qu'on pense habituellement, les voyants font souvent preuve d'une grande compassion vis-à-vis de leurs clients. J'ai connu un voyant, Pascal, qui m'a dit : « Moi, je n'augmente pas mes prix, les gens n'ont pas d'argent. » Une de mes amies voyante m'a déclaré aussi : « Je passe deux heures avec chaque personne. » Pour être une vraie voyante, il faut probablement avoir ce côté passionné. On me répète que je suis trop altruiste, que je devrais être plus rigoureuse. Mais, sans cesse, je me laisse piéger ! Il m'arrive cependant de couper mon téléphone, de tout arrêter quand je suis complètement saturée. Alors je pars faire des courses, ou je vais chez le coiffeur. Les gens qui viennent me voir sont souvent déprimés : si je ne leur apporte pas de couleur, de la gaieté et du réconfort, si je me laisse aller, ils repartiront encore plus malheureux. Une organisatrice de festival disait qu'il n'y a pas de mauvais voyants, seulement des voyants qui en font trop. Au lieu de donner des mauvais clichés, ils feraient mieux d'aller faire un tour ! C'est un métier à risques...

Dans la vie personnelle, on accumule beaucoup de choses. À trente ans, j'avais l'impression d'avoir cent ans, car je vivais en permanence avec les problèmes des gens... Il faut parfois voir d'autres personnes, pour se ressourcer, si on a vraiment attrapé quelque chose de lourd, un confrère par exemple, qui n'est pas forcément plus fort mais qui peut vous aider. Il ne faut pas avoir honte d'avouer ses faiblesses. Au début j'étais plus vulnérable, maintenant je maîtrise mieux les choses. J'ai autour de moi des confrères compétents qui peuvent effectuer sur moi un travail de *dégagement*, en cas de besoin.

Parfois, je sens qu'il me faut vivre certaines choses avec les clients. Pour aider les gens, il faut que je traverse certains événements, j'ai des périodes *entre parenthèses* durant lesquelles je suis obligée de descendre à un niveau inférieur, à travers mes consultants. Mais il ne faut pas aller partout. J'ai des contacts avec des prisonniers, par l'intermédiaire de leurs familles. Je les aide à prier et à évoluer. Je vis ces choses avec ces personnes pour les amener ailleurs...

Même si je recherche constamment la pureté, il y a des moments où je ne suis plus capable de méditer. J'ai une sorte de fermeture. Alors, je sens qu'il est temps de prendre du recul. J'ai fait ce que je devais faire, mais je dois arrêter. Ces moments de doute, ou même de détresse sont nécessaires. C'est un peu comme si je devais vivre ces choses-là, pour avoir l'expérience, comme le psychothérapeute qui ne pourrait pas aider s'il n'avait pas vécu ou compris certains événements. En fait, il y a des périodes où je vis tel ou tel type d'expérience, par séries : on dirait qu'on me donne toute une suite de clients d'un certain type. La personne que je reçois après telle ou telle expérience correspond à ce que j'ai vécu. Je suis alors capable de l'aider. Je crois que c'est l'ordre cosmique qui veut cela.

Voyance et développement spirituel

J'avais pris l'habitude de méditer dans les bois, après une longue marche. Ces bois près de chez moi sont entourés d'étangs. La communion avec la nature y est intense. Chaque matin, du printemps à l'approche de l'hiver, je me recharge ainsi et je déverse ce qui est négatif en moi et autour de moi.

Il m'est arrivé de m'asseoir sur la mousse, au pied d'un arbre et de prier. Dès que ma demande de réconfort s'est réalisée, je n'oublie pas de remercier. Il faut toujours remercier ! Il m'arrive fréquemment de me purifier par la visualisation de l'eau des étangs, en prenant garde de ne pas me tromper, parce qu'il y a un étang dans lequel je rejette le négatif, et l'autre dans lequel je me recharge. Ceux qui ont entamé une voie initiatique savent qu'ils peuvent se recharger avec un arbre. C'est une méthode très connue, simple et efficace. Je la recommande aux débutants. Nous avons tous les éléments de la nature pour nous aider, nous purifier, nous recharger.

J'ai une très belle histoire à ce propos. Tranquillement, un matin d'été, j'arrivai à l'étang où je venais souvent méditer, un peu plus tôt que d'habitude. C'est alors que je vis au loin, au-dessus des arbres, et venant vers moi, un Bouddha d'une superbe couleur émeraude, entouré d'une grande clarté couleur d'or. Quand cette clarté m'atteignit, je fus comme pétrifiée, dans une sorte d'extase devant cette splendide manifestation. J'avais envie de me mettre à genoux, mais j'avais peur du ridicule. J'entendis alors : « Par toi et de toi va irradier la lumière. » Je me sentais tellement bien que des larmes de bonheur brouillaient mes yeux et serraient ma gorge. Je regardais, et la vision demeurait. Jamais je n'avais vu un tel spectacle, même dans les plus beaux feux d'artifice. Pourquoi un Bouddha ? Je ne suis pas bouddhiste, ni même tentée par ce cheminement.

Le lendemain, je me rendis chez mon médecin, qui me conseilla de prendre un calmant pour éviter que ce genre de visions ne se reproduisent. Pour lui, j'étais probablement perturbée psychologiquement. Les semaines suivantes j'en fis part à des personnes compétentes en ce domaine. Je me suis rendu compte qu'un certain nombre avaient déjà eu ce genre d'expérience, sous une forme ou une autre.

Plusieurs mois après ma vision du Bouddha, je repassai sous l'arbre. Tout à coup, j'entendis : « Samsara. » C'était deux mois avant la sortie du parfum qui porte ce nom. J'avais, dans les jours qui précédaient, demandé à recevoir le nom d'un lieu que je destinais à des séminaires de développement spirituel. Nous avions acheté une maison en Basse-Normandie. Elle était isolée de tout, et complètement à refaire. C'est dans les lieux les plus simples que l'on est en harmonie avec la nature et plus près de Dieu et des choses de la vie. C'est là que je me recharge d'énergie, en contact intime avec la nature.

Heureusement pour moi, ce lieu m'est très bénéfique, car il m'est arrivé là-bas une aventure fort désagréable. Un jour, j'avais emmené dans notre maison de campagne une femme très déprimée. Elle ne m'avait jamais consultée parce qu'elle était toujours contre tout. Elle avait l'habitude de boire et avait régulièrement des crises, des colères épouvantables. J'avais décidé de l'aider en la faisant bénéficier du grand calme de notre maison de campagne. Peut-être à cause du manque d'alcool, dès notre arrivée, à la suite d'une communication téléphonique, elle fut prise d'une colère épouvantable. Nous étions en train de déjeuner, elle se leva, lança la poêle avec la viande et les légumes dans la cheminée, puis tout ce qui se trouvait sur la table. Mon fils, très jeune, était livide d'inquiétude. Je voulus la raisonner, elle ne m'écoutait pas, et me menaçait de me casser la figure. J'ai alors appelé mes guides spirituels à mon secours. Je restai silencieuse en attendant la paix. Devant mon comportement stoïque, elle se vengea sur ma table à repasser qu'elle démolit d'un coup de pied.

Je cherchais une solution. J'aurais voulu appeler la police, mais je ne pouvais pas téléphoner devant elle. La malade sortit de la maison en hurlant. Je tremblais de panique. Je priais de toutes mes forces demandant paix et protection. Tout à coup, je vis, dans l'embrasement de la porte d'entrée, une silhouette lumineuse. Elle était toute blanche, nimbée de bleu ciel. Elle flottait, ses pieds étaient à environ un mètre du sol. Cette vision m'évoquait la Sainte Vierge : ses mains étaient ouvertes dans ma direction et laissaient échapper des rayons d'or. J'étais émerveillée par une telle splendeur. Une joie immense m'envahissait. Je n'avais plus peur du tout. J'étais complètement apaisée. C'était pour moi la réponse à ma question : j'étais protégée. Je sentais la paix entrer dans ma maison. D'ailleurs, une demi-heure plus tard, ma malade entra tranquillement à son tour. Nous repartîmes alors vers Paris.

Deux jours après, quand j'ouvris un tiroir, je vis, dans un sachet de médailles qu'on m'avait remis quelque temps auparavant, la reproduction exacte de ce que j'avais vu. J'ai vite téléphoné à la personne qui me l'avait donnée, elle me déclara que cette médaille représentait la Vierge de la rue du Bac. Deux semaines plus tard, je me rendis pour la première fois rue du Bac pour remercier la Sainte

Vierge. Je me suis approchée, me suis agenouillée et j'ai dit merci.

Il m'arrive fréquemment d'avoir des clients très élevés spirituellement. Si les consultants suivent un enseignement spirituel, la voyance est particulière. Dès l'entrée de ces personnes, je vois des scintillements tout autour de leur aura et une lumière les entoure lorsqu'ils passent la porte de mon bureau. Si la consultation se passe par téléphone, je vois, à distance, leur corps entouré de cette lumière blanche ou parfois leur cœur entouré d'or et de lumière. Lorsque la personne est assise en face de moi, nous sommes en résonance dans une même symbiose et divinement guidés. Je n'utilise aucun support. Il arrive que ce consultant pose mentalement sa question et je lui donne mon cliché. Avant de nous quitter, nous méditons quelques minutes en faisant descendre l'énergie céleste, la paix, sur nous et le monde entier. C'est ainsi que nous rendons grâce des messages qui m'ont été envoyés et que j'ai pu communiquer.

Le don de voyance

Certains voyants disent que leur don se modifie au cours de leur vie. Mais, pour ma part, je ne pense pas que ma voyance ait progressé ou qu'elle se soit réduite. Il y a quelques années, elle était peut-être plus percutante. Je faisais moins de voyance, alors qu'à la fin de mon activité, je pratiquais à longueur de journée. Ma voyance était devenue plus homogène, comme une habitude. Je n'y faisais plus attention, même s'il s'agissait de grands événements. Avant, dès que quelque chose arrivait, les clients me téléphonaient. Cela pouvait me surprendre. À la fin, cela faisait partie de mon quotidien. J'ai dépassé cette voyance. J'ai envie d'autre chose, d'entreprendre une recherche spirituelle approfondie. Je ne regrette pas ce don qui m'a été donné. J'en suis très fière, très satisfaite. Je voudrais m'en servir pour donner des conseils, un peu comme un guide spirituel.

J'ai besoin d'une grande force intérieure. Certains clients se trouvent confrontés à la mort, et s'effondrent dans mon bureau en me déclarant : « Dieu n'existe pas, car il ne permettrait pas cela. » Un jour en Guadeloupe, je déjeunais sur la plage et j'écoutais deux femmes discuter. L'une disait : « Je ne crois plus du tout en Dieu, depuis que ma sœur est morte à trente ans en laissant trois enfants en bas âge. Dieu est méchant, s'Il existait, Il ne tolérerait pas cela. Avant je croyais, mais plus maintenant. » Comment leur expliquer ce qu'on m'a enseigné, que l'être avant de venir sur Terre choisit son milieu, ses parents, et que certains êtres viennent sur cette Terre dans le seul but de faire réfléchir les autres, pour leur faire prendre conscience de certaines choses essentielles ? D'autres, en revanche, n'ont comme objectif que de faire souffrir leur environnement. Il m'a fallu de nombreuses années de réflexion et d'enseignements pour arriver à comprendre tout cela. Un homme très évolué, et ayant lui-même traversé de grandes épreuves, m'a dit un jour : « Tout appartient à Dieu, Il nous le reprend quand Il le veut. Tout est en location ici sur Terre. »

On peut perdre le don de voyance. Je connais une femme qui a perdu sa voyance pendant près d'un an, et puis cette voyance est revenue. Elle m'a dit qu'elle l'avait perdue parce qu'elle ne la méritait plus. Elle sait pourquoi, mais elle ne me l'a pas dit. Certains voyants utilisent leur don pour des choses perverses, et cela peut entraîner la perte du don de voyance, ou même carrément la mort du voyant. Je connais le cas de deux voyants à qui cela est arrivé. Le premier avait une voyance particulière, vraiment très forte. Il a été sollicité, tout comme je le suis souvent, par des sociétés. C'est évidemment plus facile d'appartenir à une société et de faire n'importe quoi. On peut fermer les yeux sur ce que la société va faire, et laisser utiliser son nom parce qu'on est célèbre. Il a été utilisé, manipulé, et c'est bien dommage. Il s'était fixé une certaine éthique, qu'il n'a pas pu suivre.

Le second voyant disait pouvoir tout faire en magie. C'était un excellent voyant. Mais il a commis des erreurs graves, et s'est retrouvé surveillé par la police et le fisc. Il a fini par faire cinq ans de prison. J'avais vu tout cela, et je l'avais prévenu. Une consœur également lui avait dit que, s'il ne faisait pas attention, il irait en prison. Mais il était très jeune : il avait vingt-trois ans, et, de plus, il était très beau. Il m'écrivait pour me demander des voyances, pour savoir s'il allait être célèbre. Il avait sa photo, immense, portée par des hommes sandwiches, partout dans la ville. C'est dommage. Il était honnête au départ, mais il a dérivé.

Un voyant (ou une voyante) ne peut conserver son don que s'il a une grande rigueur personnelle, à tous les niveaux, même s'il ne croit en rien. Il ne s'agit pas de religion. Il y a des voyants qui n'ont aucune spiritualité et qui sont très bien parce qu'ils ont une grande intégrité.

Je connaissais une femme qui était une grande voyante. Elle a conservé son don, mais elle ne travaille plus. Elle disait que, lorsqu'elle exerçait, elle avait l'impression d'être une chèvre attachée à un piquet. Je suis tout à fait d'accord avec elle. C'est une des raisons pour lesquelles je souhaite donner des conseils d'ordre spirituel. Au travers de la voyance, il m'arrive de faire des ouvertures spirituelles. Pendant dix ans, j'ai animé un groupe, pour qui j'étais un guide spirituel. Il est précisé, dans l'enseignement que j'ai suivi, de laisser faire les choses, alors je laisse. Mais il est dit aussi qu'il faut, malgré tout, agir au bon moment. Beaucoup de gens sont allés sur un chemin spirituel que j'ai ouvert. Certains sont en attente, et d'autres n'ont pas pu continuer. Nombreux sont ceux qui veulent accéder à ces secrets. C'est seulement maintenant, après des années de travail sur moi-même, que je m'aperçois de la nécessité du silence. On ne peut que donner progressivement un enseignement : il faut que l'élève puisse l'expérimenter, accomplir un travail par lui-même. Mais rassurez-vous, tout est mis sur notre chemin. Le hasard n'existe pas. Lorsque l'initié est prêt, le Maître se présente. Nous sommes chacun à un niveau d'évolution différent. Chaque chose se mérite, une maturation profonde se produit dans l'être, à son insu, au travers des épreuves qui sont mises sur son chemin. Tout le monde n'est pas prêt à recevoir. Au bout de quelques années (dix, quinze ans ou plus) nous abordons dans certains mouvements philosophiques des travaux de réflexion d'une telle luminosité qu'ils sont intraduisibles aux néophytes. Ils sont d'une telle intensité qu'il faut y être préparé longuement. Il y a beaucoup d'appelés mais peu d'élus. Méditer demande une grande discipline, une grande rigueur. Il est ainsi parfaitement normal que l'initié reçoive des enseignements de plus en plus élevés. On ne peut pas transmettre tous ces mystères à des personnes qui ne sont pas préparées.

On m'a demandé si j'avais tenté d'expliquer ce que je percevais comme voyante. J'ai bien essayé, mais sans beaucoup de succès. Je ne suis pas très douée pour ce genre de choses. Pour moi, c'est une affaire d'expérience, pas d'explication. L'explication ne me sert à rien. On croit en la voyance ou on n'y croit pas. Je pense que la voyance est issue d'une vie passée, et que, grâce à cette existence, je l'ai méritée. Il y a probablement un processus qui se déclenche, au fil des réincarnations. Mais je ne pense pas du tout à une intervention extérieure sur le plan divin. L'intervention directe d'un défunt, je n'y crois pas non plus. On dit aussi que c'est le développement de la glande pituitaire, le *troisième œil*, cette glande que nous avons entre les deux yeux au sommet de la tête. Aujourd'hui, je ne cherche plus à savoir d'où cela provient. Je me suis posé la question pendant des années, sans trouver de réponses…

6

Préoccupations des clients, protections, accompagnement des mourants

Demandes de la clientèle

Parmi les demandes de consultation, il y a évidemment de nombreux problèmes d'ordre sentimental. Beaucoup de femmes, qu'elles aient vingt, trente, quarante ans ou plus, demandent à être davantage considérées. Elles témoignent aussi d'un retour au sacré, sous toutes ses formes. Elles prennent de plus en plus conscience que les contraceptifs les ont peut-être libérées physiquement, mais pas psychologiquement, et qu'ils ne leur ont pas apporté l'harmonie profonde à laquelle elles aspiraient.

Les hommes viennent pour des problèmes sentimentaux, mais aussi pour des placements financiers ou immobiliers. Les demandes sont souvent similaires, même si je reçois des gens issus de tous les milieux, cadres supérieurs, chefs d'entreprise, ingénieurs, médecins, enseignants, hôtesses de l'air, etc. Je reçois aussi des artistes, des femmes au foyer, des employées de maison, des fonctionnaires, de nombreux commerçants de toute la France et des pays limitrophes.

Les gens viennent me voir pour tous les domaines : travail, santé, amour, achat et vente de biens, et beaucoup de demandes de couples unis pour l'avenir de leurs enfants. Quant au domaine du travail, j'ai reçu une multitude de personnes, qui étaient en train de perdre leur emploi. J'ai aidé beaucoup de cadres à s'orienter et souvent à monter leur propre entreprise. La voyance diffère selon les régions. Par exemple, aux Antilles, j'ai reçu un homme qui m'a présenté dix photos d'enfants qu'il avait eus avec dix mères différentes. Il n'en avait épousé aucune, mais il versait une pension alimentaire à chaque mère...

Je pratique la voyance par téléphone depuis assez longtemps. Comme beaucoup de confrères, j'étais opposée à cette forme de voyance, mais il y avait tant de demandes que je me suis mise au diapason. Parmi mes fidèles clients, certains préféraient venir me voir et d'autres appréciaient le téléphone. Ils prenaient des suivis téléphoniques avec moi. Ils ne se déplaçaient plus, ce qui représentait un gain de temps pour eux. Quant à moi, cela ne changeait rien à la méthode : je me concentre ; si je travaille sur un plan général, je donne les clichés que je vois dans chaque domaine puis je demande au client si tous ces points sont réels. Après, j'approfondis la ou les questions importantes, en voyance directe, puis avec des tarots, pour vérifier certaines questions. Je ne pose aucune question au client. Je ne sais pas s'il est célibataire, marié, divorcé ou en instance de divorce. Attention, un voyant ressent, voit et peut

vous guider, mais il y a des limites, ne lui demandez pas de vous décrocher la lune!

Cette forme de voyance présente des avantages,
elle satisfait pleinement les personnes pressées.
Pour ma part, je la trouve formidable, cela permet
de voyager partout! On peut prier, et aider à distance par la pensée, même au-delà des mers et des
océans.

À mon grand regret, il m'arrive parfois de juger
quelqu'un sur qui j'ai des clichés, mais je me
reprends très vite. En voici un exemple : un jour,
alors que j'allais chercher un ticket de stationnement, un homme d'une trentaine d'années m'aborde
et me demande de l'argent pour manger. Une dame
intervient : « Vous pouvez vous rendre au Secours
Catholique, on va vous aider. » Je le regarde, son
visage est blanc, et d'un seul coup, je le vois rouge,
déformé par l'alcool et une odeur insupportable de
vin me soulève l'estomac. Je m'entends lui dire :
« Vous êtes jeune, alcoolique, vous êtes en bonne
santé malgré tout et vous pouvez travailler au lieu
de vous détruire. » Je suis en train de le juger. De
quel droit? Pourquoi toutes ces paroles sont-elles
sorties de ma bouche? Il me regarde, son visage
n'est pas rouge, il ne sent pas l'alcool, son visage
est doux, c'est un homme faible. « Vous avez raison,
je suis fichu, détruit, j'ai tout perdu, ma femme est
morte et j'ai perdu mes enfants, puis je me suis mis
à boire et j'ai aussi perdu mon travail, mon appartement et je suis à la rue. » Tout n'est pas vrai, je le
vois. « Je ne vous donnerai pas d'argent, je n'entre-
tiendrai pas votre vice, je ne soutiendrai pas votre
paresse mais, si vous acceptez, je vous offre un

sandwich. Bon sang, mais il fallait vous accrocher, tout le monde traverse des phases de désespoir, il faut s'accrocher ! » Un vieux clochard allongé sur un banc se lève, pas ivre du tout : « Vous êtes forte, vous. Voilà notre faiblesse, voilà où nous en sommes, mais lui, il peut s'en sortir... Mon vieux, on te le dit tous les jours ! Vous avez raison. » Je leur tourne le dos, je fais mes courses. Ma fille était près de moi, étonnée. Nous avons trouvé une boulangerie et je suis revenue avec un énorme sandwich. Ils étaient maintenant trois clochards buvant debout, portant à leurs lèvres, chacun à son tour, un litre de vin rouge. Ils allaient bien rire. Peu importe, le jeune m'attendait avec un sourire extraordinaire, une reconnaissance indéfinissable. Il me remercia et partagea son sandwich avec ses compagnons.

Protections

Il m'est arrivé de tenter de protéger un client contre une chose que j'avais vue à son sujet. Par exemple, j'ai vu pour l'un de mes consultants un accident de voiture, qui pouvait être évité. Je l'ai entièrement décrit. Deux mois plus tard, cet accident s'est produit, exactement selon mes prédictions, dans les moindres détails. Une voiture arrivant en sens inverse a percuté de plein fouet les six voitures qui la précédaient, faisant morts et blessés, mais ce carambolage s'est arrêté *juste devant* mon client. Durant le mois précédent, je l'avais protégé. Mais le lendemain de cet accident, je fis un dérapage sur du verglas. Il faut donc faire très attention, quand on fait une protection. Même dans le cas d'une intervention positive, voire lumineuse, il y a un risque. Certains disent qu'il ne faut pas troubler l'Ordre du Monde, essayer d'interférer avec lui, sous peine d'en subir ce choc-en-retour.

Une autre fois, une femme, à peine assise, me dépose plusieurs photos sur le bureau. Je déclare aussitôt en examinant l'une d'elles représentant un jeune homme : « Oh Madame ! Attention, c'est grave, je vois de la drogue sur cet enfant. Il sera arrêté et vous verserez dix mille euros pour le faire sortir de prison. » Stupéfaite, elle se mit à pleurer. « Vous êtes formidable, je pars aux États-Unis demain, parce que mon fils a été arrêté, il a touché à la drogue, et il en a même vendu. Quant à la somme, elle correspond exactement à ce que je dois remettre à l'avocat. » Elle se remit à pleurer : « Je vous en supplie, madame, je vous demande de m'aider. » J'ai travaillé uniquement sur la photo pendant trois à quatre mois, la maman a dû prolonger son séjour à Los Angeles, et tout est rentré dans l'ordre.

Tandis que j'assurais un intérim, mon mari, un jour, vint me chercher à l'heure du déjeuner. Il était accompagné de mon voisin, un huissier. C'était un cas très grave. Il s'agissait de commerçants : la femme était désespérée, car son mari et elle avaient un déficit plus de soixante mille euros. Le mari était parti la laissant seule avec quatre enfants et le commerce. J'ai commencé à travailler sur cet homme et je le suivais à distance, sur photo. Je donnais des nouvelles à son épouse qui me téléphonait trois fois par jour. Je décrivais très précisément des lieux où il se trouvait. À un moment, j'ai capté des clichés de verdure, d'eau claire, d'une barrière, d'une auberge. Je le vis se pencher vers l'eau d'un étang. J'ai alors mis en place des protections très fortes en intercédant auprès de Dieu par la prière afin qu'il ne se suicide pas. Suivirent alors trois semaines sans nouvelles. La veille de Noël, il téléphona enfin. Il se trouvait au bord du lac de Genève. Il avait tenté de se suicider en se noyant, mais il avait vu dans l'eau le visage d'une femme. Il s'était mis alors à pleurer en pensant à son épouse et à ses enfants. Il n'avait pas eu le courage de se jeter à l'eau, ni de se tuer avec le fusil qu'il avait emporté. Une force l'avait poussé à appeler son domicile. Subitement, il prenait conscience qu'il ne pouvait fuir ses problèmes. Il devait faire face à ses dettes. Ce fut pour nous tous un magnifique cadeau de Noël. À son retour, ils me rendirent visite, il se jeta à mon cou en me déclarant : « Ma femme m'a tout expliqué, merci de lui avoir donné tout ce courage. » Tout est rentré dans l'ordre, ils ont vendu leur commerce et ont pu faire face à leurs problèmes.

Autre cas : un jour, je reçois une lettre d'une femme désespérée. C'était un cas grave de tuberculose avec œdème pulmonaire. Cette femme me demande si elle va vivre, si elle doit continuer à lutter. Je réponds « Oui, mais ce sera très long. » Je l'ai magnétisée pendant de longs mois sur photo, sans même la connaître. Petit à petit, cette femme s'est levée, s'est promenée, tout en restant branchée en permanence avec l'oxygène. Elle a recommencé à manger, elle a repris du poids et tout s'est arrangé.

Tous ces cas sont très lourds à assumer. Autrefois il me fallait travailler sans relâche, week-end et congés compris, en emmenant avec moi les photos. À la fin de mon activité, mon évolution, mes connaissances nouvelles me permettaient de procéder différemment. Je plaçais les personnes que je protégeais sous pyramides ou cristaux. Ainsi, en plus des techniques de méditation, j'utilisais la visualisation créatrice, les cristaux, les pyramides, et les Psaumes. Je me sers également du magnétisme et des prières. Je fais intervenir les forces supérieures, descendre l'Énergie Divine, et je suis assistée de Guides selon les cas à traiter. Tous ces Guides m'ont été donnés au fur et à mesure de ma vie.

Je vous propose un autre exemple : une femme vient un jour me consulter pour me demander de l'aide. Son mari étant décédé depuis quelques années d'une tumeur au cerveau, elle se retrouvait seule avec son fils étudiant en médecine. Son fils se laissait complètement aller, il était très dépressif, ne se levait plus, ne mangeait plus, ne se lavait même plus. Il avait un angiome au cerveau qui avait été opéré dans un hôpital de Buenos Aires. Ses crises de désespoir s'intensifiaient, tout était complètement fini d'après lui. La maman était un exemple de courage mais elle était si fatiguée moralement qu'elle me suppliait d'essayer de faire quelque chose pour lui. J'avais conscience des difficultés que cela représentait. Ce jeune était suivi médicalement et toute sa famille était dans la médecine, quel pouvait être mon rôle ? Je me laissais guider, et là encore je m'adressais aux forces supérieures, aux guides invisibles que j'avais si souvent appelés.

J'ai accepté mais je n'ai rien promis. Dieu était avec moi, Dieu ou ces forces supérieures, pour moi c'est la même chose. Je magnétisais, je priais. J'ai tout utilisé, mes forces intérieures, les énergies que je puisais à l'extérieur, la prière et la pensée constructive pour l'amener à bouger, à réagir. Ce fut long, très long. Chaque fois que j'arrêtais il rechutait et sa mère plongeait également dans la tristesse, mais à aucun moment elle n'a douté de mon travail. Je lui ai demandé de prier avec moi, et notre évolution spirituelle s'est faite côte à côte, dans des voies différentes mais qui se sont rejointes. Je magnétisais sur photo car il n'était pas question de voir ce jeune homme, il refusait toute aide et n'aurait jamais accepté de rencontrer quelqu'un de ma profession. Malgré l'aide de tous mes guides spirituels, je ressentais une grande fatigue, je perdais du poids. La mère me téléphonait tous les jours, chaque matin à sept heures et demie, pendant plus d'un an. Au bout de quelques mois, je lui ai proposé de poursuivre avec un confrère de Paris, qui ne pratiquait que le magnétisme. Elle a essayé deux ou trois séances sans résultat et m'a demandé de reprendre mon travail sur son fils. J'étais ennuyée parce que mon confrère était plus compétent que moi, c'était un excellent magnétiseur. J'ai réfléchi deux semaines, puis j'ai repris régulièrement mon travail de magnétisme sur ce jeune homme, particulièrement au moment des examens et j'ai insisté pour que son médecin de famille lui donne du magnésium. Il a passé ses examens normalement. Ce jeune homme n'a jamais su que je l'avais magnétisé. Actuellement il est dentiste, il s'est marié et a deux enfants. Il a parfaitement réussi, voyage beaucoup et mène une vie normale.

J'utilise beaucoup les cristaux pour les protections. Mais on ne peut pas mettre tout le monde sous cristaux. C'est trop dangereux, si la personne n'est pas en résonance ou si elle n'est pas pure. Si la personne est noire intérieurement, il ne faut pas mettre sur elle un cristal (on risque d'exacerber le mal).

La protection est un travail qui peut aller très loin. J'avais fait des prédictions assez bouleversantes à une personne, tante de deux jeunes, Stéphane et Isabelle, quelques mois avant la catastrophe du train de la gare de Lyon (en 1988). J'avais vu que ces deux jeunes gens seraient dans un train, que le jeune homme mourrait et que la jeune fille serait grièvement blessée, et qu'elle resterait longtemps dans le coma. Un peu plus tard, je recevais un coup de téléphone me disant que mes prédictions s'étaient malheureusement réalisées. On me demandait si je pouvais aider par magnétisme Isabelle qui était, dans le coma, à l'hôpital, et qui ne pourrait sans doute plus marcher. Allait-elle s'en remettre ? Je me suis mise aussitôt à travailler sur la photo d'Isabelle et durant de longs mois, je l'ai aidée. Elle est sortie du coma au bout de deux mois, s'est assise et, huit mois plus tard, elle se levait. Elle est désormais sauvée.

J'ai fait la connaissance de sa mère quelques mois après. « Ma vie est partie avec mon fils », me dit-elle en consultation. Je restai silencieuse. J'eus une heure de communication médiumnique avec Stéphane. Je servais de lien entre le fils *transité* et sa mère assise en face de moi. Était-ce bien Stéphane ? Voici le message résumé : « Maman, je te demande de ne plus faire un sanctuaire de ma chambre. Je désire voir une chambre gaie, entendre de la musique moderne (puis il m'indiqua les disques qui se trouvaient dans sa chambre – les titres étaient exacts). Maman chérie, peux-tu t'habiller en pastel? Le noir est triste pour toi, il ne te met pas en valeur et te vieillit. Fais-le pour moi. En ce qui concerne mon travail, il faudrait me remplacer par Philippe, il est bien, il est capable. » Il existe bien dans leur entreprise un jeune homme du prénom de Philippe et le seul styliste effectivement capable de remplacer Stéphane. La maman, en larmes, me prit les mains, puis me serra dans ses bras. J'étais moi aussi très émue. Les proches de Stéphane avaient songé à Philippe, mais ils hésitaient à lui confier ce poste. J'avais donné la clef. Cette femme était arrivée, courbée par le chagrin, vide d'espoir, sans goût pour la vie. Je voyais devant moi une autre femme, relevant la tête, heureuse d'avoir pu communiquer avec son enfant. Après cette séance, je suis descendue boire un thé bien fort et brûlant... et j'ai remercié Dieu d'avoir été choisie comme *canal.*

Les protections sont très diverses, certaines constituent un travail de longue haleine, d'autres sont au contraire très rapides à mettre en place, dans le cadre d'une véritable urgence. Un jour, comme je m'installais tranquillement dans le RER, des jeunes gens avec des sacs de sport prirent place à leur tour. J'étais seule avec ces six jeunes d'allure sportive. Le train se mit en marche et aussitôt cinq d'entre eux se sont levés, en sortant de leur poche un couteau à cran d'arrêt pour tuer le sixième qui était assis. Ils voulaient l'étriper et le passer par la fenêtre. J'étais bloquée, je ne pouvais absolument pas passer pour tirer le signal d'alarme. Cette scène a duré presque tout le trajet. Ils couraient et se battaient, j'étais au milieu. Je me suis levée et je leur ai dit très fort : « Arrêtez, battez-vous et réglez votre problème dehors à la prochaine station. » J'ai prononcé intérieurement des paroles de protection données dans mes enseignements. Tout s'est arrêté, ils ont attendu d'être sur le quai pour recommencer à se battre. C'était pour moi un moindre mal, car j'espérais que la police interviendrait.

Au-delà de la voyance

L'histoire de Noëlle est émouvante : simple relation de travail, elle n'était pas une véritable amie, mais en peu de temps, à travers sa maladie, elle m'a entraînée très loin, au-delà de la voyance. Noëlle travaillait dans un autre secrétariat au même étage que le mien. Un jour, elle vint discrètement vers moi, elle désirait me poser une question, par écrit. Je pris sa lettre, elle contenait sa photo et sa question concernait son état de santé. Apparemment, elle respirait la santé. Cette jeune femme d'une vingtaine d'années avait un bel enfant de trois ans, un emploi, un mari adorable et pas de problèmes d'argent. Noëlle était la bonté même. J'examinai la photo, je vis deux traits à l'estomac. Je sentais qu'elle devait de toute urgence passer une radiographie. Je lui donnai cette réponse. Elle souffrait terriblement de l'estomac. Le médecin refusa de prescrire cette radio, et rédigea une ordonnance de tranquillisant, disant que c'était un trouble nerveux. Je l'ai suppliée de passer cette radio. Le rendez-vous fut obtenu un mois après. Au retour des vacances, elle souffrait davantage. Le résultat tant attendu par nous toutes, ses collègues, indiquait deux débuts d'ulcères à l'estomac. Nous étions à la fin du mois d'août.

Elle se mit à décliner de jour en jour, elle s'enferma chez elle dans le noir. Elle avait l'impression qu'elle allait quitter ce monde. Elle nous en parla très naturellement tout d'abord, puis elle cessa. Elle me demanda de la magnétiser, me déclarant qu'elle avait confiance en moi. J'ai fini par accepter, tout d'abord une fois par semaine. La première fois ce fut horrible, j'eus mal aux intestins durant deux jours mais Noëlle n'avait plus mal. Après chaque séance de magnétisme, je repartais avec des douleurs dans les intestins pour deux ou trois heures. Dès que je posais la main sur ses épaules, je ressentais ce mal et je captais des visions ultra-rapides représentant les intestins, je recevais des graphiques lumineux.

Au mois de décembre, j'apprenais qu'elle était hospitalisée, pour une intervention. Celle-ci mit en évidence un cancer inopérable sur tout le côlon. Les médecins avaient déclaré à son époux qu'elle était perdue. Ils disaient que c'était une question de jours. Je n'étais pas d'accord, car je voyais le printemps, des arbres fruitiers en fleurs m'apparaissaient. Je n'avais pas compris le sens de ce message. J'étais bouleversée, mais je ne savais pas encore que c'était le commencement de mon travail d'aide et d'accompagnement aux mourants.

Quelques jours plus tard, Noëlle me réclamait, car ma présence, à elle seule, la soulageait. À l'approche de la fin, j'apporte la Lumière à ceux qui en ont besoin pour partir. Elle a pu partir dans la sérénité. La mort a quelque chose de merveilleux lorsqu'elle est vécue dans la Lumière spirituelle. La mort doit être dédramatisée, car ceux qui ont vécu une NDE *(Near Death Experience :* expérience au seuil de la mort) ont fait les mêmes récits et l'on retrouve partiellement ou en totalité : une impression subjective d'être mort, une sensation de paix et de bien-être, la perception d'un espace sombre ou d'un tunnel dans lequel le sujet s'engage ou se déplace très rapidement, etc.

Françoise, une autre jeune femme, était venue me voir à Paris, en me déclarant : « Mon chat est très malade, je ne viens pas vous consulter pour moi, mais je désire savoir si mon chat va mourir. » Je la regardai stupéfaite, car, sur les photos, le chat paraissait en pleine santé. En revanche, en la regardant, d'un seul coup je ressentis des frissons. Je voyais nettement la mort sur elle. Je m'interrogeais sur cette vision, je ne voulais pas superposer les clichés. Après vérification, ce n'était pas le chat que je voyais mourir, mais bien elle. Je lui dis : « Vous êtes malade, il faut consulter un médecin très vite, c'est le tabac. » En fait, elle fumait depuis plusieurs années deux paquets de cigarettes par jour. « Comment ? me répondit-elle, je suis en bonne santé, c'est mon chat qui me tracasse, il a une leucémie, le vétérinaire dit qu'il est perdu. » J'insistai : « Écoutez-moi bien, il faut voir un médecin et faire des analyses de sang car vous êtes malade. » Je fus alors prise de quintes de toux prolongées.

En échange de sa promesse de consulter, j'ai accepté de prendre les photos du chat que je magnétisais chaque soir. Le chat était sous perfusion, il ne mangeait plus du tout mais buvait légèrement. Mes séances à distance durèrent deux mois et le chat guérit. Je priais pour le chat et pour cette dame, dont je voyais le cercueil flotter au-dessus de la tête. Je me disais : « Quoi qu'il arrive, je serais là pour l'aider. » Quelques semaines après le premier rendez-vous, ma cliente m'annonçait qu'elle avait une bronchite, puis elle fut hospitalisée parce que la fièvre ne tombait pas. Tout s'enchaîna très vite, elle fut opérée pour un cancer du poumon, deux côtes furent enlevées. J'ai rejeté de toutes mes forces mon pressentiment et j'ai lutté avec elle chaque jour par téléphone, contre cette maladie. Nous étions devenues de grandes amies, elle me confiait tout, ses soucis les plus intimes. Il n'y avait plus de dimanche pour moi. Françoise avait constamment besoin de ma présence, de ma voix, du réconfort que je lui apportais. Je lui rendais visite à l'hôpital, et ensuite chez elle. Elle me suppliait de l'aider.

À la fin des séances de chimiothérapie et des rayons qu'elle supporta courageusement, je l'ai invitée à déjeuner. Elle rayonnait de joie. Elle était décidée à vivre, elle ne parlait que de sa guérison. Je lisais le bonheur sur son visage, celui de vivre et celui de la guérison tant attendue. Elle m'avait tout de même posé la question. « Est-ce grave ce que j'ai ? — Oui. — Vais-je mourir ? — Ce sera très long, je vois beaucoup de lutte, mais au travers de cette maladie il y aura beaucoup de bonheur, de lumière. » Ce fut pour nous deux un grand chemin initiatique rempli de lumière. Je ne pensais plus qu'à sa guérison. Elle a connu une semaine d'apaisement, puis la suivante, elle se remit à tousser et tout bascula. J'ai vécu des moments éprouvants où elle m'appelait quatre ou cinq fois par jour, et la dernière semaine avant la mort, elle le faisait à tout moment, et même en pleine nuit. Quelques heures avant la fin, elle me déclara : « Je veux partir en paix. La médecine officielle est là pour nous faire subir les opérations, les tests et jusqu'au dernier moment on nous réanime, même si on ne veut plus vivre, même si on n'a plus la force de continuer. Je souhaiterais une médecine plus proche de nous, plus humaine. Quant à toi, c'est autre chose. Ton magnétisme, ton aura ou ton rayonnement m'aident à mourir en silence. Il faut que tu restes près de moi, je ne souffre pas quand tu es là. Promets-moi d'aider les autres. » Nos regards se croisaient, mes yeux étaient embués de larmes. Je fuyais son regard. Elle était envahie de lumière blanche. Quelques heures après, sa fille Claire m'apprenait son départ.

Dans certains cas, je vais donc bien au-delà de la voyance. Je ne peux malheureusement pas prendre toutes les personnes en charge, mais cette aide personnelle est totalement bénévole. J'interviens d'abord, puis je demande des aides extérieures. Ce sont évidemment des cas graves. Le mourant vous confie tout ce qui le tracasse, et ses plus grands secrets. Il a besoin de partir en paix. Parfois, avant que les personnes partent ou perdent la raison, je fais le point avec elles. Certaines ont peur, il faut les rassurer, il faut rester dans la plus grande neutralité, ne pas parler de Dieu, ni de religion. Il faut d'abord les aider, les libérer de leurs tracas.

J'ai même aidé des gens que je ne connaissais pas, à préparer ce passage. Voici le cas d'une jeune fille de vingt-cinq ans, que j'appellerai Olivia. Elle me fut confiée par sa belle-sœur. Olivia avait une tumeur inopérable au cerveau. J'ai commencé mon travail sur sa photo en juin, je lui fis chaque jour une ou plusieurs séances de magnétisme. Je complétais ce magnétisme par des prières et un grand soutien spirituel. Je finis par m'attacher à cette superbe jeune fille brune. Son état s'améliorait de jour en jour. Olivia reprenait goût à la vie. Pendant des mois, elle se sentit mieux et ne pensa plus à sa maladie. Mais je dus m'absenter pour une semaine de vacances, pendant laquelle je n'effectuais plus rien. À mon retour, j'appris qu'Olivia était mourante, souffrant de manière intolérable. Je fis appel alors à l'Infiniment Grand, car je ne voyais aucune probabilité de guérison. Je lui demandai d'arrêter ses souffrances et de la prendre très vite. Cet appel a dû être entendu, puisque Olivia tomba dans le coma. J'ai passé près de cinq heures à prier et à la préparer à partir.

C'est alors que je reçus un cliché étonnant. Je vis, sur le mur de ma chambre, Olivia en robe longue blanche, ses longs cheveux noirs flottant au vent, une écharpe de soie blanche autour du cou. Elle volait au-dessus des champs. Des pâquerettes éclatantes de blancheur et de pureté, avec un cœur très jaune, volaient autour d'elle. Elle venait vers moi et me souriait dans cette splendeur. Comme elle était belle, fraîche et légère! Le lendemain, j'appris sa mort qui s'était produite dans la nuit, à trois heures.

J'avais reçu ce message à une heure du matin. Je fus prise peu après d'une crise de foie épouvantable.

Ce cliché s'est reproduit une autre fois, à propos d'une histoire qui n'avait, *a priori*, rien à voir. J'étais enceinte de deux mois, lorsqu'on m'amena un chiot adorable, un bâtard que l'on allait faire disparaître si je ne le prenais pas. Ce chiot se blottit tout de suite sur mon ventre, sous mon manteau. Son petit museau cherchait la sécurité. Ce fut un véritable compagnon pour mon fils. Kim vécut quatorze ans auprès de nous. Ce furent quatorze années de bonheur, de fidélité. Un jour, Kim eut une maladie très grave, la piroplasmose. Il fut perfusé durant huit jours, il était presque sauvé mais des complications rénales firent leur apparition.

C'est alors que, dans ma chambre, j'eus la vision de ma petite Olivia, toujours aussi belle. C'était exactement la même vision que lors de sa mort. Des pétales de marguerites tombaient en pluie. Je vis Kim, volant autour d'elle. Des larmes me serraient la gorge. Elle me dit : « Je viens chercher Kim, il sera plus heureux car il va souffrir. » Kim allait mieux. Hélas, trois jours après il ne s'alimentait plus. Il me regardait d'un air désespéré. Il était perdu. Il faut aimer les animaux pour comprendre qu'ils ont eux aussi leur degré d'évolution. Trois jours après sa disparition, j'ai expliqué mes visions à une amie qui connaissait très bien Olivia. Celle-ci me déclara : « Olivia avait une adoration pour les chiens. Lorsqu'elle était plus jeune, son père avait perdu volontairement son chien dans la forêt et elle l'avait cherché durant des mois. Elle aimait cet animal et cette horrible aventure l'avait marquée. »

Je voudrais aussi parler de Cécile. Je reçois un jour un appel téléphonique de très anciennes collègues de travail me demandant si je pouvais aller voir une petite fille de neuf ans et demi très gravement malade. J'allai lui rendre visite, mais auparavant, j'avais examiné sa photo et je voyais la petite devenir aveugle. Elle avait plusieurs tumeurs non cancéreuses qui se propageaient. Ces tumeurs comprimaient le cerveau, derrière la tête et au-dessus des yeux. Je voulais préparer les parents et les grands-parents à ce que je voyais. Cécile était perdue, mais les parents de Cécile, très croyants, m'affirmèrent que Dieu ne permettrait pas son départ. J'ai essayé de parler, mais ce fut inutile. Après ma visite auprès de Cécile, j'étouffai tout le long de la route. Je ne pouvais plus tourner la tête, je n'entendais plus rien.

Le lendemain la grand-mère me pria de ne plus venir parce que je faisais peur aux parents. Je n'avais pas su leur donner l'espoir que les médecins avaient refusé. Ils avaient senti que je voulais les préparer à un éventuel départ et ma voyance que je cachais leur faisait peur. Je reçus cela comme un coup de couteau dans le cœur. Il ne me restait plus que le soutien à distance, et la prière. Beaucoup de personnes ont conjugué leurs prières aux miennes et Cécile a pu célébrer l'anniversaire de son frère et même ses dix ans. Elle a pu fêter Noël, mais elle fut aveugle. Un lien s'était établi entre les grands-parents de Cécile et moi-même. Je savais que je les préparais petit à petit et qu'à leur tour ils trouveraient la force nécessaire pour soutenir leurs enfants lorsque Cécile partirait. Cécile est restée sous perfusion durant un mois, elle était totalement plongée dans le néant, sourde, aveugle, épuisée, elle n'avait plus que la perception des mains. Peu après, elle mourait. Je l'appris avec retard. La famille trop bouleversée avait oublié de me prévenir.

Épilogue

Je me prépare à vieillir. Je suis prête à partir dès maintenant mais je pense que mon heure n'est pas encore venue parce que j'ai encore beaucoup de choses à accomplir. Je me sens parfois trop jeune, mais, à l'opposé, à force de survoler la vie, les souffrances morales et physiques des autres, à force de les aider, j'ai l'impression d'avoir un ou deux siècles. Quand une personne approche des quarante ou cinquante ans, le processus de décrépitude du corps physique est déjà en route. Mais de nombreuses personnes sont déjà vieilles à trente ans. Elles n'ont pas vécu plus d'épreuves que d'autres, mais se sentent sans énergie. Il faut savoir regarder, apprécier même une fleur qui s'ouvre sous le soleil. Il existe mille choses qui peuvent vous faire du bien. Réfléchissez, il y en a au moins une parmi ces mille choses qui trouvera un écho en vous. Ne demandez pas l'impossible. Ne vous nourrissez pas de sentiments de haine, de jalousie, de peur, de découragement, mais d'optimisme, d'indulgence, de générosité.

Dans les couples, je pense qu'il est nécessaire de se livrer à une perpétuelle reconquête de l'autre.

Mais lorsqu'il n'y a plus d'harmonie ou qu'il y a trop de complications, c'est déjà le signal d'alarme. Il faut longuement s'interroger si on songe à la séparation. L'idée même ne doit pas systématiquement être rejetée, car s'il n'y a pas de bon divorce, il peut constituer une moins mauvaise solution. Quand on est prêt, lorsqu'on a tout analysé, on est parfois amené à opter pour une telle décision. On doit attendre le moment opportun, mais il faut la prendre à temps. Un conflit dans un couple constitue une épreuve, que nous devons apprendre à gérer. De toute façon, dans notre évolution vers le plan divin, le plan des Forces, les leçons sont renouvelées maintes et maintes fois. Elles nous sont représentées jusqu'à ce que nous comprenions que nous sommes ici pour effectuer un travail. Nous devons travailler sur l'élaboration et le perfectionnement d'une certaine éthique. Il faut que nous menions ce chemin vers la clarté et l'élévation spirituelle. Tous ces moments difficiles sont nécessaires pour atteindre la Lumière.

Garder la jeunesse est une chose difficile. Elle ne doit pas consister en une recherche de plaisirs. Il faut faire des projets, créer, concrétiser. Il est nécessaire de se cultiver, d'enrichir son esprit. Le sport pratiqué à son rythme est indispensable. Il faut s'entourer de jeunes. Il faut aimer vivre, il faut aimer la vie et les plaisirs sains. Si vous suivez un régime, n'oubliez pas de faire un bon repas de temps en temps. À ceux qui se sentent limités par l'âge, je dis : « Si vous ne pouvez plus marcher, vous bougez moins, mais vous êtes plus disponible pour lire, écrire, peindre, créer, écouter les autres. » C'est un exemple. Mais chacun doit profiter de sa vie : avec tout cela, vous ne serez jamais triste, jamais seul, jamais vieux.

Pour ma part, je pense que tout a été mis sur mon chemin pour mon évolution spirituelle. Tous les êtres ont une mission à effectuer dans leur vie et nous devons découvrir laquelle nous a été attribuée et comment œuvrer pour bien l'accomplir dans cette incarnation. Certains êtres sont plus « doués » que d'autres, car ils ont été *choisis* pour guider l'humanité et l'amener à davantage de spiritualité et d'Amour. Ces « guides » se retrouvent dans toutes les religions et dans toutes les philosophies. Ces « Êtres de Lumière » sont un canal entre les Forces divines et l'Humanité. Ils apportent toute leur science mystique et toute leur compassion aux problèmes et aux souffrances de ceux qui leur ont envoyé un appel au secours. Ils prient nuit et jour, pour les malades, les affligés et aussi pour la paix dans le monde, pour que l'évolution de l'humanité se fasse selon les plans de la hiérarchie cosmique, pour que le Divin en l'homme ait la suprématie sur le matériel et sur son ego. En leur présence, on se sent immédiatement envahi par de très hautes vibrations et on vit sur un autre plan empreint de mysticisme. Quelle joie de prier et de méditer près d'eux et que de bouleversements s'effectuent dans notre vie à tous après de telles expériences ! Le quotidien apparaît alors comme un champ d'actions où les forces se manifestent et nous devenons nous aussi de simples canaux. Notre vie a pris un sens, et comme dit l'Évangile : « C'est en donnant que l'on recevra. »

Je pense qu'un être qui a travaillé longuement sur lui-même, lorsqu'il s'est purifié, doit être très sélectif. Si cet être se dirige vers n'importe qui, n'importe quoi, il peut stagner et même régresser dans son évolution. Il devra être prudent. Les rencontres et relations occasionnelles non authentiques ne sont plus faites pour lui. Il doit aller à la recherche de l'authenticité, de ce qui est beau, ce qui est sublime et peu à peu il ira vers l'Absolu. Le respect de soi-même, de son corps, amènera la résonance avec un être semblable. Dans le cas inverse, cet être qui travaille sur lui-même transmettra ses bonnes vibrations à une autre personne qui ne le mérite peut-être pas, et recevra toutes sortes de mauvaises vibrations en échange et surtout une grande négativité. Faites très attention dans le choix de vos relations. Si vous voyez que la résonance n'existe pas, faites vite demi-tour, n'hésitez pas. En revanche, vous pouvez aider, donner, mais ne mélangez pas vos auras avec des êtres qui n'en valent pas la peine.

Je rends un dernier hommage à la nature. Me voici sur un chemin, au-dessous du soleil brûlant. De chaque côté se dressent les arbres de la forêt. Les troncs majestueux m'entourent, les branches s'agitent comme pour me transmettre le message de la vie, le message de l'éternité. Je vois les premières feuilles qui tombent et quelques-unes prennent une couleur marron. Bientôt ce sera l'hiver. La nature est comme l'homme, elle meurt pour renaître. Nous aussi nous mourons à nous-mêmes pour renaître et tourner une page. Nous laissons nos défauts, nos vices, notre négativité derrière nous, pour renaître à nous-mêmes autrement. Nous sommes comme ces arbres dont on coupe les branches mortes, comme les feuilles qui reviennent. Nous laisserons notre vêtement, notre corps pour le reprendre un peu plus tard. Nous quitterons tout un jour, corps, biens, amis, amours ; mais la plus belle, la plus noble, la plus grande richesse que nous puissions emporter c'est notre travail intérieur, tout ce qui est impalpable, tous les sacrifices que nous avons effectués au cours de cette vie pour nous élever vers un plan supérieur. Ces sacrifices, ces efforts peuvent être faits dans tous les domaines de l'existence. Nous renaîtrons avec tout cela en nous, nous reviendrons sur Terre pour continuer notre travail, notre perfectionnement de vie en vie.

Postface

Vivre avec des facultés paranormales
Philippe Wallon

Le paranormal existe-t-il ?

Cette question peut sembler curieuse, surtout après le témoignage de Rosana Nichols. Pourtant, bien des gens continuent à se la poser, aussi nous faut-il répondre. Rappelons-nous le récent ouvrage de Henri Broch et Georges Charpak, *Devenez sorciers, devenez savants*[1], véritable pamphlet contre le paranormal qui fut un succès de librairie. Le contenu de ce livre n'est pas en lui-même critiquable. En effet, il présente un certain nombre de faits, en général peu contestables, qu'Henri Broch avait déjà abordés dans *Le Paranormal*[2]. Cependant, les auteurs prennent argument de cette démonstration pour affirmer que le paranormal n'existe pas – ou du moins que personne n'est à même d'apporter des preuves de sa réalité. Et c'est là que le problème se pose.

En effet, nombre d'entre nous ont pu se trouver confrontés, ici ou là, à des événements incompréhensibles, qui dépassent de très loin la vision

----
1. Odile Jacob, 2002.
2. Le Seuil, 1985.

actuelle des sciences physiques. J'en suis le premier témoin. Des voyants ou des sujets doués de voyance m'ont prédit d'une manière précise des faits qui se sont produits par la suite. J'ai eu moi-même des clichés étonnants qui me confirmeraient, si besoin était, l'intérêt de ce champ d'investigation. Alors, pourquoi cette guerre de tranchées, opposant prix Nobel et scientifiques, parfois de renom, avec d'autres, souvent tout aussi sérieux ? Les raisons sont celles, ou à peu près, qui ont conduit à cette tragique chasse aux sorcières en Occident durant des siècles. Examinons-les brièvement.

En premier lieu, il y a l'*autorité scientifique*. Les sciences de la matière (sauf les plus récentes, la physique quantique et la Relativité) posent une vision du monde avec un temps continu, immuable, allant du passé au futur, ainsi qu'un espace aux trois dimensions incompressibles. Dans ce registre, la voyance comme l'ensemble du paranormal n'ont pas leur place. Les savants, tenants de cette vision du monde, usent de leur prestige pour fustiger tout ce qui peut penser ou dire autrement. Or, ce temps et cet espace rigides sont battus en brèche par les théories qui ont vu le jour au XXe siècle, même si elles sont encore loin de rendre compte des facultés paranormales. Néanmoins, quelques réflexions de bon sens, comme nous le verrons, permettent d'allier science et paranormal sans faire appel à aucune théorie d'allure ésotérique.

Quelques références pour la raison

Certains excès ont lieu dans le domaine du paranormal (abus de la crédulité de personnes fragiles, escroqueries en tout genre...) car il n'existe aucune autorité de régulation qui exclue les « brebis galeuses ». Dans les sciences, on trouve des « *referees* » jugeant avec impartialité les travaux de recherche. En médecine, c'est le Conseil de l'ordre des médecins qui veille au respect des bonnes pratiques. Dans le champ « psi » (avec un « i », soit le domaine du paranormal), tout le monde peut se parer de facultés qu'il n'a pas, ou user avec perversité du peu qu'il possède. Certes, la police et la justice sont là, mais il faudrait pour cela que les victimes portent plainte. Or, curieusement, celles-ci se sentent coupables d'avoir fait appel à ces escrocs et n'osent rien dire... sauf à leur confesseur ou à leur psychiatre.

Un jour, une patiente vint me trouver. Il y a quelque temps, elle avait emménagé dans une nouvelle ville. Elle avait bien vite rencontré une femme au charisme extraordinaire, qui l'avait aussitôt attirée. Après quelques semaines, cette femme, constatant sa solitude et son désarroi, lui proposa des « passes énergétiques » pour l'aider. Ma patiente éprouva d'abord un certain bienfait mais, assez rapidement, elle se sentit moins bien qu'auparavant. La femme lui dit alors qu'elle était porteuse d'une « mauvaise influence », et qu'elle avait besoin d'une approche plus puissante pour l'en débarrasser. La prétendue thérapeute intensifia alors ses séances et les rendit plus fréquentes. Malgré cela, l'état de ma patiente empira. La femme décida de procéder à un désenvoûtement. Ma patiente, à qui la femme avait bandé les yeux, me dit avoir vu des choses très étranges durant cette séance, des sortes de courants lumineux accompagnés d'images horribles, visages déformés et autres visions de cauchemar... Après cette expérience, elle se sentit plus mal encore et prit la décision de cesser tout contact avec cette soi-disant thérapeute. Son état s'améliora lentement. Quelque temps après, elle revit cette femme et apprit qu'elle souffrait d'un cancer généralisé. Plutôt que de se soigner par les méthodes habituelles, elle préférait puiser l'*énergie* des gens qu'elle avait pris en charge – si l'on peut dire...

Il y a ainsi, dans le champ du paranormal, des personnes qui abusent des gens crédules. Ces pratiques dureront tant que les scientifiques continueront à n'accorder que du dédain à ce phénomène.

Le paranormal est proche de la folie. Ces facultés, comme on va le voir, sont issues de l'inconscient profond. Or, comme Freud l'a montré, la psychose – la « folie » au sens propre – est elle aussi issue de l'inconscient. Les Églises le savent bien, qui jugent les saints non pas à la nature de leurs charismes (pouvoirs paranormaux) mais au degré de spiritualité qui en découle : si l'intéressé et son entourage sont humbles et d'une foi profonde, ces charismes sont le fait de Dieu ; s'ils mènent à la colère, à la vanité et à l'impiété, ils sont l'œuvre du Diable.

Le psychiatre n'a pas ces références. De par sa fonction, il devrait pourtant être à même d'entendre le paranormal. Mais, il est médecin et, de ce fait, du côté des sciences « dures ». Pour lui, comme pour le commun des mortels, le temps et l'espace sont immuables. De plus, Freud, autorité en matière psychothérapique, a presque nié le paranormal, opinion qui s'est encore accentuée avec les psychanalystes récents – il n'y a que les tenants de Jung à l'accepter, mais ils sont rares en France. À tel point qu'une collègue, qui est également voyante, me disait ne pouvoir avouer ses facultés à son psychanalyste, de peur qu'il n'arrête aussitôt leurs séances. Enfin, le psychiatre voit essentiellement des « malades », des gens dont le discours est, par principe, critiquable. Le médecin doit ramener le patient dans le droit chemin... celui du « normal », et donc délaisser les à-côtés « para ». De fait, il existe, même chez le psychiatre, un défaut d'information et, plus encore, de formation.

Certains de mes patients m'ont tenu des discours schizophréniques où, cependant, émergeaient des éléments intéressants... Une femme me parlait ainsi d'une manière confuse, mais ses mots évoquaient l'art de guérir. Je lui conseillai la lecture d'un de mes livres. Quelque temps après, elle me rappelle : « Vous m'avez raccrochée à la terre. » Tous les caractères de confusion, de « folie », avaient disparu ! Un autre de mes patients me demande souvent : « Docteur, dites-moi ce qui, dans ce que je ressens, ce qui est de l'ordre de la psychose et ce qui relève du paranormal. » Ailleurs, c'est une mère de famille qui me dit avoir des conflits avec ses enfants, car il lui arrive de contrecarrer leurs projets. Elle n'ose leur avouer qu'elle « voit » ! Il me faut ainsi souvent préciser les éléments normaux et anormaux, ce qui les distingue des troubles pathologiques et les nuances parfois subtiles.

Parlons maintenant de l'envoûtement. Devant une accumulation de problèmes, on fait appel à la classique « loi des séries », à un mauvais hasard. Mais si le mal empire, on cherche un responsable. Une de mes patientes était en procédure de divorce. Elle ne se sentait pas bien et ses enfants étaient eux aussi fatigués. Elle était persuadée que son mari les envoûtait, et pensait qu'il avait envoyé chez eux une personne pour placer des maléfices. Son opinion était renforcée par la disparition inexpliquée de papiers importants. De plus, sur un oreiller, elle avait trouvé une couture bizarre, sous laquelle elle perçut un objet dur. Parallèlement, un ami de son mari, qui n'avait aucune raison de l'appeler, lui téléphona plusieurs fois, lui demandant si elle allait bien. Et ce, justement, quand elle se sentait le plus fatiguée. Cette femme alla voir un exorciste. Peu après, elle apprit que l'ami de son mari avait eu une attaque cérébrale, et qu'il était hémiplégique... Elle attribua aussitôt cette attaque au classique « retour de bâton » : le désenvoûtement renvoyant le mal sur celui qui l'a envoyé. Pour cette patiente, l'accident confirmait ses appréhensions.

Le paranormal est souvent appelé « occulte » ou « ésotérisme » (résultant d'un enseignement secret). À l'instar d'un message télépathique, qui vous envahit au plus profond de vous-même, l'influence maléfique n'est limitée par rien, aussi paraît-elle des plus sournoises. Les juges du Moyen Âge avaient bien essayé d'établir des critères, qu'ils avaient consignés dans leur « bible », le célèbre *Marteau des sorcières*. La marque du Diable était vue partout, conduisant des innocents par milliers aux flammes du bûcher, comme l'a bien montré Jules Michelet dans son ouvrage *La Sorcière*, paru en 1862.

Dans ces conditions, la raison a toutes les raisons de se perdre, sauf si elle s'appuie sur des critères solides et sur une réflexion prudente, que nous allons à présent mener en nous aidant du témoignage de Rosana Nichols.

Rosana est-elle étrange ?

Depuis sa plus tendre enfance, Rosana Nichols a vécu avec des facultés paranormales diverses. Paradoxalement, cela est assez habituel. Le dicton ne dit-il pas que « la vérité sort de la bouche des enfants » ? Si on interroge ces derniers avec tact, on constate que nombre d'entre eux possèdent des capacités paranormales, qui disparaîtront progressivement avec l'âge.

Dès les premières pages, Rosana cite plusieurs facultés qui évoquent la voyance, sous diverses formes, directe ou intuitive, ou à l'aide d'un support, les tarots. Mais, contrairement à beaucoup de sujets doués, qui parlent essentiellement de leurs réussites, Rosana se livre à ce que nous pourrions appeler une analyse « phénoménologique » de son vécu, décrivant la manière dont elle voit les choses. En cela, elle attire d'emblée la sympathie. En effet, beaucoup de cartomanciennes s'entourent d'un certain mystère. Elles laissent croire qu'elles décryptent les cartes à l'aide d'un code subtil dont elles ne livrent que les rudiments, réservant aux seuls initiés les vrais secrets. Malheureusement, quand on compare ces ouvrages, on constate qu'aucun n'est d'accord, même sur les grandes lignes !

Rosana ne s'appuie sur aucune théorie : elle voit les cartes « s'animer », qui parlent à son intuition, sans méthode particulière. La carte n'est qu'un support, une aide qui met en forme le cliché et qu'elle traduira par des mots. La cartomancie n'est donc pas un savoir ésotérique, mais une forme particulièrement puissante de l'intuition.

Rosana a la même simplicité quand elle parle des défunts qui se présentent à elle sous la forme d'un halo subtil qui rappelle l'« aura », ce « corps subtil » qui entourerait les êtres vivants – humains, animaux ou plantes – et s'en détacherait à leur mort. Mais elle ne se livre à aucune élaboration théorique qui risquerait de nous tromper.

L'épisode de clairaudience est également très instructif. Elle entend quelques mots et voit simultanément sa mère au chevet de sa grand-mère – ce qui est également appelé « clairvoyance ». Nous découvrons ainsi que la voyance emprunte des voies sensorielles multiples, et qu'elle est souvent associée à des sentiments forts qui contribuent à lui donner sa tonalité : la tristesse et ce froid intense, souvent décrits à propos des morts.

Ce qui distingue le fou du sage n'est pas ce qu'il raconte, car souvent le discours est aussi difficile à comprendre dans les deux cas. Mais, face à nos questions, le premier s'embrouille dans ses explications, alors que le second se met à notre portée et nous conduit à la lumière en nous ouvrant son cheminement. Rosana nous montre comment accepter les facultés paranormales en nous parlant de son vécu quotidien. Nous pénétrons dans sa vie, nous avançons tranquillement, et nous voyons que la folie ne surgit pas d'une manière impromptue.

Les observations scientifiques confirment ce que dit Rosanna : la vision de sa grand-mère survient la nuit, période la plus propice aux phénomènes paranormaux car la conscience est diminuée. L'inconscient, d'où émergent ces messages, est alors « ouvert ». Fondée en Grande-Bretagne en 1882 pour enquêter sur ces « hallucinations télépathiques », la Society for Psychical Research a établi que 10 % de la population en a été témoin.

Le *dédoublement* est également un phénomène reconnu de longue date. Il intervient lui aussi plus fréquemment quand la conscience est amoindrie, comme lors de syncopes ou dans les « expériences proches de la mort » (ou NDE, *Near Death Experience)*. Ici, curieusement, Rosana vit la chose en pleine conscience, alors qu'elle se trouve dans une assemblée. Est-ce la preuve qu'elle serait de constitution fragile, physiquement ou psychologiquement ? Ou est-ce un signe de sa faculté à accéder à son inconscient profond ?

Ailleurs, Rosana parle du *magnétisme*, la capacité de soulager les maux par les mains. Cela n'a pas de rapport direct avec la voyance, mais, parfois, ces dons vont de pair. Il s'agit d'une faculté réfrénée par notre culture, mais que chacun pourrait facilement développer, ne serait-ce que grâce à la fameuse méthode Coué. Les chamans des temps anciens, qui étaient également des voyants, pratiquaient couramment le magnétisme.

Rosana dit que toutes ces facultés ne lui ont pas épargné les épreuves de la vie. Cela peut étonner. En effet, avoir une vision de son propre futur devrait permettre de se protéger. Ceci est une règle assez générale : les sujets « psi », ceux qui possèdent ces étonnantes facultés, sont plus souvent touchés par les aléas de l'existence. Est-ce leur sensibilité qui les rend plus vulnérables ? Est-ce, comme certains le prétendent, le Ciel qui se venge ainsi de ce qu'il octroie, et les oblige à une certaine humilité ? Quoi qu'il en soit, les voyants ont une vie souvent difficile. En même temps, ces épreuves les touchent moins fortement, car leur pensée est plus aiguisée, plus ouverte sur d'autres champs, et une foi souvent profonde les guide vers une solution, alors que nous resterions dans une situation sans issue par la seule réflexion logique.

Ainsi Rosana Nichols, si elle présente une expérience singulière, n'est pas une « bête curieuse ». Grâce à son récit, nous allons aborder ce paranormal tant décrié, et examiner comment le rattacher aux théories connues et aux observations quotidiennes.

Rosana est un « sujet doué »

Pour beaucoup, le paranormal est exceptionnel. Une expérience simple peut nous prouver le contraire : le téléphone sonne, *écoutons-le* sans décrocher le combiné. Pour ce faire, il faut être sûr que personne ne répondra à notre place. Ne nous précipitons pas, regardons le combiné en laissant notre pensée aller à son gré, sans angoisse ni préoccupation. Nous allons voir surgir, des confins de notre conscience, comme un message venu de l'extérieur, qui nous indiquera si la communication téléphonique sera positive ou négative. Cela ne nous prendra, avec un peu d'entraînement, pas plus d'une à deux secondes! Nous pouvons affiner notre perception en posant une question plus précise, sur la personne qui appelle, par exemple. Le sentiment fera, là encore, la différence entre la justesse ou la fausseté de notre hypothèse. J'ai, pour ma part, pratiqué cette expérience plus d'une centaine de fois, probablement bien davantage. La justesse de ce pressentiment est étonnante. Vous pouvez, de même, connaître le contenu d'une lettre sans l'ouvrir. Regardez le verso de l'enveloppe, en cachant, si elle est mentionnée, l'adresse de l'expéditeur, et en vous maintenant dans un état psychologique « méditatif ». Vous verrez probablement surgir un sentiment très instructif.

Ainsi Rosana n'est simplement qu'un sujet plus doué que les autres, pourtant guère différente du commun des mortels. Elle est seulement plus intuitive, elle a accès à sa pensée profonde, rien de plus. Si vous observez attentivement les intuitions qu'elle décrit, vous verrez qu'elles sont très semblables à celles que vous éprouvez quotidiennement. Elles sont d'ailleurs si banales en apparence, si proches des intuitions habituelles, que la plupart d'entre nous les considèrent comme normales, avant d'avouer qu'ils n'ont aucune possibilité de justifier leurs certitudes. Un de mes collègues, professeur de

Faculté et chercheur dans un grand institut national me disait qu'il n'avait, quant à lui, aucune capacité particulière… pour m'avouer après cinq minutes de conversation qu'il voyait se vérifier régulièrement des sentiments *a priori* déraisonnables. Il savait sans hésitation que tel projet de recherche était riche d'avenir, alors que ses collègues le disaient sans intérêt, et la suite lui donnait raison. De même, il était tout aussi sûr que certaines voies étaient sans avenir, contre l'opinion générale, et cela se vérifiait aussi. Pour lui, c'était de l'intuition, pas du paranormal.

D'ailleurs, la voyance est si proche des intuitions habituelles que nous avons des clichés sans le savoir. Certains sentiments paradoxaux trouvent une explication par la suite : une angoisse sourde et immotivée précède un accident ou un tracas important ; une joie sans raison annonce une bonne nouvelle que rien ne nous permettait d'envisager. Nous pouvons ainsi explorer notre avenir, mais ne le faisons pas systématiquement, car nos initiatives en seraient réduites. Toute action est libre, quelle qu'elle soit. Rien n'est écrit par avance. Et, c'est en agissant avec discernement que nous construisons notre futur.

Rosana dit posséder le magnétisme, le don de guérir. Nous l'avons aussi, même à un moindre degré. Pour le tester, utilisons la méthode Coué : passons notre main à courte distance de la zone douloureuse et fixons-nous sur la chaleur qu'elle dégage ; disons alors, à voix basse : « Ça passe. » En moins de une à deux minutes, la douleur cesse. Mais, attention, comme vous n'êtes pas un thaumaturge, vous ne ferez pas disparaître pour autant la maladie ou le trouble causal, et il faudra les faire soigner. Mais j'ai ainsi vu cesser en un instant de fortes rages de dents et même des crises de rhumatismes.

Voyance et sciences, une amorce de rapprochement

Malgré toutes les explications que donne Rosana, la voyance déroute. D'un côté, elle nous paraît très proche de l'intuition au point de se confondre avec elle. Pourtant, on ne sait pas comment l'esprit peut ainsi échapper aux contraintes du temps et de l'espace. Rosana nous dit seulement : « Je reçois cela de mon guide... cela m'est donné... on me dit... » Ou encore : « Je prends cela en vous... je vais chercher tout ceci dans le Grand livre... » Rien de scientifique, loin de là.

Cependant, la voyance existe et apporte des informations vérifiables. J'ai eu moi-même plusieurs expériences de cet ordre, de la part de personnes qui sont venues me voir, car je n'ai jamais rendu visite à aucune pythonisse.

Les sciences donnent-elles des informations pertinentes sur la voyance ? Oui et non. On a dû éliminer l'une après l'autre toutes les théories explicatives reposant sur les lois physiques connues. À l'inverse, bien des découvertes – ou confirmations – montrent, depuis plus de cent ans, que le paranormal a sa place, ce que sont susceptibles de confirmer les théories les plus récentes[1]. Par exemple, la Relativité

1. Pour plus de détails, on pourra se reporter à mes ouvrages, *Le Paranormal* et *Expliquer le paranormal*.

restreinte dit que le temps n'est pas immuable, mais relatif. Deux personnes en deux lieux différents peuvent voir se dérouler le temps d'une manière différente. La parabole des « deux voyageurs », de Langevin[1], issue de la Relativité générale, raconte, par exemple, que si un être emprunte une fusée dont la vitesse est proche de la vitesse de la lumière et qu'il revienne nous trouver, nous aurons vécu peut-être deux cents ans alors qu'il n'aura pris que quelques années. Plus encore, la Relativité générale montre que le temps et l'espace sont liés l'un à l'autre et dépendent de la masse de matière contenue en un point, ce que l'on nomme « courbure de l'espace-temps ». Ceci n'explique pas encore la voyance, mais révèle que le temps et l'espace ne sont pas immuables.

La physique quantique va encore plus loin. Certaines de ses conclusions aboutissent à la « non-séparabilité de la matière » : deux particules émises lors de la même réaction restent « non séparées » quelle que soit la distance qui les sépare. Cela a déjà été vérifié sur plusieurs dizaines de kilomètres. Il existerait donc une forme d'interdépendance entre les éléments de matière qui ouvre sur l'idée d'une possible communication entre les êtres vivants. Les principes de la physique ne sont donc pas aussi opposés qu'on pourrait le penser à la voyance.

En fait, ce sont les moins « scientifiques » des disciplines qui dénigrent le paranormal, celles qui, tout en étant rigoureuses, restent fixées sur les notions

---

1. Physicien français, auteur avec Henri Wallon de la réforme de l'enseignement qui porte leur nom.

d'espace et de temps héritées des siècles passés ;
la psychologie plus encore, car elle manque de
« scientificité », de crédibilité, s'accroche la raison,
même si celle-ci est bafouée par les découvertes les
plus récentes dans la physique.

L'expérimentation scientifique

Il n'y a pas que la théorie dans les sciences.
Beaucoup d'expérimentations ont été menées à
partir d'hypothèses fragiles qu'elles ont contribué à
renforcer, ou de théories partielles qu'elles ont com-
plétées ou unifiées. En ce qui concerne le paranormal, l'expérimentation existe, et elle a été menée
avec une rigueur souvent supérieure à celle exigée
dans d'autres domaines (« à phénomène exceptionnel, preuve exceptionnelle »). Si nous parcourons la
littérature scientifique internationale, nous découvrons que bien des chercheurs, surtout des Améri-
cains, ont effectué des travaux expérimentaux dans
des conditions parfaitement scientifiques et que
leurs résultats sont tout à fait probants. Le plus
ancien, le plus connu et le plus obstiné (il a mené
plusieurs milliers d'expérimentations) est Joseph
Bank Rhine, qui a travaillé depuis les années 1930 à
l'université de Duke en Caroline du Nord. À l'aide
d'un jeu de cinq cartes différentes (un carré, une
croix, un cercle, des vagues et une étoile), il a pu
tester la voyance à distance et la précognition
(voyance dans le futur). Il a validé ses résultats sur le
plan statistique selon des méthodes classiques. Même
si ses travaux paraissent rébarbatifs et ennuyeux, il a

eu le mérite de démontrer le paranormal avec des critères identiques à ceux utilisés par les sciences habituelles.

Depuis, plusieurs chercheurs ont exploré d'autres méthodes, dont la plus célèbre est celle de « Ganzfeld ». On met le sujet « récepteur » (chargé de capter les messages) dans des conditions d'isolement sensoriel, en plaçant des demi-balles de ping-pong devant les yeux (pour qu'il ne voie rien que de la grisaille) et on lui met des écouteurs sur les oreilles qui produisent un « bruit blanc », sans signification aucune. On lui demande de relater alors ce qu'il voit, sent et pense, librement, sans effectuer aucune discrimination. Un autre sujet, dit « émetteur », lui envoie alors des images, et un juge indépendant compare ce qui est émis et reçu. Statistiquement, là encore, on a pu démontrer la concordance de leurs récits, malgré d'évidentes déformations.

D'autres expériences ont été faites, plus sophistiquées encore. L'une des plus curieuses est celle-ci : on place des électrodes sur la peau d'un sujet pour mesurer sa résistance sur le plan électrique (celle-ci varie avec l'humidité de la peau, et donc avec l'émotion). On montre ensuite, sur un écran de télévision, des images suivant un ordre aléatoire, agréables, neutres ou très désagréables. On constate alors que la résistance électrique de la peau se modifie *avant* l'observation des images. Ce qui montre que le cerveau inconscient anticipe l'information avant qu'elle n'arrive.

Les scientifiques ont donc prouvé l'existence de la voyance. D'ailleurs, à la suite de ces travaux, le paranormal a pu entrer à l'American Association, organisme regroupant toutes les disciplines scientifiques aux États-Unis.

En fin de compte, rien de sérieux ne s'oppose au paranormal. Si le bon sens répugne à l'accepter, on devine, dès à présent, qu'il pourrait constituer la science du XXIe siècle, ou même du troisième millénaire... car rien ne dit que tout sera clair avant cent ans... ou même mille !

La voyance n'est pas que paranormale

Cela étant posé, la voyance n'est pas aussi étrange qu'elle paraîtrait à première vue. Elle s'appuie, pour une part au moins, sur des mécanismes « normaux ». Dès le premier instant, lors d'une visite ou d'une communication téléphonique, un nombre considérable d'informations s'échangent entre la voyante et nous-même. C'est ce que l'on nomme « contagion affective ». Je ne détaillerai pas les modalités matérielles de cet échange, que j'ai relatées ailleurs[1]. Nos sens (vue, ouïe et, le cas échéant, toucher et odorat...) captent à une vitesse extrêmement rapide des milliers d'informations que les structures profondes de notre cerveau traitent presque instantanément. Cela n'est pas conscient ni volontaire. Nous l'avons hérité de nos lointains cousins les animaux, pour qui cet échange d'information est indispensable : il permet d'évaluer si l'autre constitue un danger ou non, s'il est hostile

---

1. J'ai détaillé cette analyse dans *La Contagion affective*.

et prêt à attaquer ou au contraire désireux d'établir des relations amicales.

Ce phénomène est constant, obligatoire, dès la rencontre. L'échange est d'autant plus riche que nous ne connaissions pas cette personne. Mais il faut parfois beaucoup de temps pour que notre conscience nous dise clairement ces choses, les argumente et les valide. Nous avons ainsi le sentiment, après plusieurs semaines, mois ou années, de comprendre « vraiment », c'est-à-dire consciemment, ce que nous avions perçu d'un homme (ou d'une femme) dès le premier instant.

La voyante, elle, saisit et comprend tout, dans les premières secondes. Chez elle, c'est un « don », comme certains sont doués pour la musique ou les mathématiques. Le contact fait immédiatement surgir des images, confuses ou claires. Elle n'a pas ces blocages qui nous aveuglent, elle est en communication directe avec les profondeurs de son âme. Rosana, sitôt entrée dans le métro, voit s'afficher la vie de ceux qui sont devant elle. Cela est si fort, si évident qu'elle en est oppressée, dépassée, bouleversée.

Dans la vie courante, savoir tant de choses est inutile, voire nuisible. Nous devinons les pensées de nos proches et cela nous suffit. Avec nos intimes, nous vivons comme si nous étions dans leur corps, nous percevons ce qui les réjouit ou les ennuie sans qu'ils aient à nous en parler. Par contagion affective, nous partageons leur expérience. Les limites de notre être disparaissent, nous sommes pour eux (et ils sont pour nous) comme une « maison de verre » aux parois transparentes. Cela montre la qualité de nos relations avec eux.

La contagion affective est un phénomène naturel. L'utiliser relève d'un bon sens psychologique et permet à certains sujets doués de nous révéler ce que nous avons en nous. La voyante se met à parler, et à révéler l'impossible. Nous ne devons pas en être désarçonné, car elle ne fait que lire dans notre tête. Même si le mécanisme physique n'est pas clair pour elle-même, elle a capté des microstimuli, notre manière de respirer, saccadée ou ample et régulière, et mille autres choses.

Voyante ou pas voyante ?

Où commence la voyance, où s'arrête la psychologie ? Par principe et par prudence, considérons que le paranormal intervient dès lors qu'il n'y a plus aucun contact matériel. Et encore... car nous pouvons garder en mémoire, à notre insu, la manière dont pensent ceux que nous venons de quitter : nous pouvons arriver à une même conclusion plusieurs heures après, sans nouveau contact.

Un bon psychologue peut nous révéler notre passé, parfois en un mot. Je l'ai fait, plusieurs fois ! En consultation, une patiente me parlait des infidélités de son mari, d'une manière lassante et répétitive. Soudain, le mot « filiation » surgit dans mon esprit. Avec d'infinies précautions, je le glisse dans la conversation. Elle s'effondre aussitôt en larmes : elle finit par avouer qu'elle pense devenir folle. Jamais ses parents n'ont répondu à ses questions relatives à ses origines. Elle est persuadée ne pas être leur fille, mais celle d'une femme, sa tante, schizophrène toute sa vie et hospitalisée en psychiatrie jusqu'à son décès. Un seul mot, surgi d'on ne sait où, m'avait permis de faire surgir le passé de ma patiente !

Bien des voyantes ne font guère plus. L'une d'elles a dit à une de mes patientes qu'elle était le « résultat d'un avortement » et qu'elle était restée entre la vie et la mort les deux premières années de son existence. Surprise, elle interrogea sa mère, qui lui confirma qu'elle avait effectivement cherché à avorter et que ma patiente avait eu une tuberculose dès son plus jeune âge. Cette histoire peut, là encore, avoir imprégné sa chair, ou du moins son esprit profond, sans qu'elle en ait eu conscience. Un être un peu doué les devine, à la manière des enfants qui révèlent les secrets de famille. Cela leur semble évident, ils n'ont pas les répugnances des adultes, ni leur réserve !

Souvent on dit : « Ce n'est pas de la voyance, mais de la télépathie ! » La « transmission de pensée » est une chose courante, nous en avons fait, un jour ou l'autre, l'expérience. Nous avons perçu ce qui arrivait à quelqu'un de proche, en particulier si une menace de mort planait, alors que nous n'avions aucun contact avec lui. Même à distance, une personne peut ainsi connaître le contenu de notre pensée et la lire, surtout si nous sommes confrontés à des émotions très fortes. Il s'agit d'une faculté paranormale, certes, mais plus courante que la voyance.

Voici une histoire édifiante à ce sujet. On sonne chez une de mes patientes. Ce sont deux « femmes du voyage ». Aussitôt, l'une d'elles lui dit : « Madame, votre fils est en danger. » Il se trouve que ma patiente était en effet très préoccupée par son fils. La femme poursuit : « Nous allons l'aider, pouvez-vous nous laisser entrer ? » Contre toute prudence, elle accepte. La femme poursuit : « Avez-vous 7 500 francs ? Ne vous inquiétez pas, nous vous les rendrons. » Comme elle ne les a pas, les femmes lui proposent d'aller les chercher au guichet automatique. De retour, ma patiente pose la somme sous un torchon, suivant les instructions des femmes, qui effectuent alors une forme de prière. Les femmes parties, ma patiente retire le torchon, la somme a disparu !

Ma patiente, me relatant cette histoire, n'arrive pas à expliquer pourquoi elle a agi avec tant de naïveté. Les femmes, devineresses par tradition, ont sonné à sa porte, saisissant le désarroi de ma cliente. Elles ont d'emblée livré le message et les défenses de ma patiente sont aussitôt tombées, elle s'est trouvée « sous le charme ». À partir de là, cela a été un jeu pour ces femmes de proposer un rituel aux allures de Magie. Pour faire adhérer la victime, il faut la surprendre, faire appel à son goût du mystère et du merveilleux. On peut alors lui faire croire n'importe quoi.

Ne nous hâtons donc pas de conclure au merveilleux, au paranormal. Soyons très prudent, et ne consultons que des personnes honnêtes. Ne nous laissons pas abuser par une révélation banale. Pour être certain qu'il s'agit de voyance, il faut qu'on nous révèle des choses que nous n'avons jamais pu connaître, comme notre avenir – et que ces révélations se révèlent exactes par la suite. Une femme m'a ainsi prédit que nous serions cinq à une réunion où nous devions être quatre. Elle m'a décrit l'homme qui viendrait nous rejoindre, tant sur le plan physique que psychologique. Elle m'a annoncé les dangers du projet dont nous devions débattre et, plus encore, m'a fourni l'alternative !

La voyance est un processus complexe et peu contrôlé, même par le voyant. Dès le premier instant de la consultation, il fusionne avec notre esprit et accède à des informations que nous n'aurions jamais voulu révéler. Le voyant prend des risques, comme le dit Rosana à plusieurs reprises. Si nous sommes aux prises avec des problèmes lourds et graves, ou des troubles mentaux (dépression mélancolique, angoisse majeure), il peut en être pénétré, et donc dépassé, ne rien pouvoir nous dire et même nous demander de partir. Ne nous étonnons pas. Le sujet psi (ayant de telles facultés) est, par essence, un sujet fragile qui a besoin de se protéger. Mais, comme pour le médecin ou le psychothérapeute, l'expérience lui permet, en principe, ce recul, pour ne pas se laisser pénétrer par le malheur d'autrui.

La voyance n'est donc pas toujours mystérieuse. Elle repose sur les lois de la psychologie classique. Ce n'est pas la simple lecture d'une photographie ou d'un film nous concernant, mais un échange intime, avec tout ce que cela comporte.

L'inconscient contient un futur possible

Comment la voyante peut-elle décrire notre vie entière ? En fait, même si cela paraît curieux, notre inconscient contient en image l'intégralité de notre vie. Nous pouvons en avoir une « preuve » avec ce qu'on appelle la « vision panoramique de l'existence ». Lors d'un accident, quand elles voient arriver l'obstacle sur elles, certaines personnes disent voir se dérouler toute leur vie, depuis leur naissance jusqu'à leur enterrement... et même avant ou après. Cela est si souvent raconté que nous pouvons l'interpréter comme la révélation soudaine du contenu réel de l'inconscient, qui s'ouvre parce que la conscience, en désarroi complet, n'offre plus de résistance.

Un de mes amis, relatant cette expérience, m'a dit avoir vu ses deux fils à sa cérémonie funèbre. Je m'en suis étonné, et lui ai demandé si, depuis l'accident, il avait vu se réaliser avec précision certains événements. « Pas tout à fait », m'a-t-il répondu. Cela n'a rien d'étonnant. En effet, notre inconscient ne contient qu'un « possible » sur lequel nous pouvons agir, comme le montrent plusieurs exemples de Rosana (comme par exemple celui des parents et de l'institution pour enfants autistes...). Voici un exemple fameux : une femme eut un cauchemar, raconte Louisa Rhine (la femme du chercheur américain spécialisé dans le domaine du paranormal). Cette femme rêvait que la foudre tombait sur sa maison, décrochait le lustre qui s'effondrait sur le berceau de son bébé et le tuait. Elle se réveilla. Le ciel nocturne était clair. Prudente, elle déplaça pourtant le berceau et prit le bébé avec elle. Deux heures plus tard, contre toute attente, la foudre s'abattait effectivement, faisant chuter le lustre qui s'écrasa sur le sol, à l'endroit où se trouvait précédemment le berceau. Bien évidemment, le bébé, dans le lit de sa mère, survécut. Notre futur est donc *déterminé*, mais nous pouvons agir dessus pour peu que nous ayons les informations suffisantes. Il n'est donc pas *inéluctable*.

Notre futur n'est donc écrit nulle part. Le Grand Livre du monde, appelé par certains *Annales akashiques*, n'existe pas. Les psychanalystes disent depuis longtemps que notre vie est, depuis le premier jour jusqu'au dernier, régie par nos tendances profondes. Certaines de ces tendances sont si ancrées en nous qu'il faut un long et difficile travail pour les changer, comme une psychanalyse par exemple. À l'inverse, certaines de ces tendances naturelles peuvent être modifiées par une décision des plus banales. Le simple bon sens nous permet souvent de faire la différence. Il en va de même de la voyance et de la prémonition (voyance sur soi-même).

La voyante accède à notre inconscient et s'y déplace à loisir. Rosana parle d'un film qui se déroule, même si les événements ne sont pas forcément rangés dans un ordre parfait. Ils n'ont surtout pas le même poids, certains peuvent être si forts qu'ils empêchent de voir le reste. Le voyant doit opérer comme les archéologues, travailler sur la première couche, la plus superficielle et la plus évidente, avant d'aller plus loin.

La voyance s'interprète comme un rêve

Le cliché de voyance se présente comme une image, car il émane de notre pensée profonde, inconsciente. Rosana le répète souvent : des fleurs pour signifier la mort, la neige pour les mois d'hiver, tout comme dans les rêves. On utilise donc ici les mêmes règles pour interpréter les clichés. En voici un exemple. Un ami médecin me racontait qu'un de ses confrères, voyant, lui avait téléphoné un jour pour lui dire : « Tu ne m'avais pas dit que tu jouais du piano de manière professionnelle ! » Mon ami se récuse, l'autre insiste : « Je te vois même devant deux mille personnes. » Peu après, devant donner une conférence médicale, mon ami arrive le premier, et voit devant lui, sur la scène, un piano ; dans la salle, deux mille personnes !

Cet homme avait donc fait une voyance exacte, mais il avait commis l'erreur de relier deux images, son ami et le piano. Il en est de même pour tous les contenus émanant de l'inconscient. Dans un rêve, par exemple, il ne faut jamais établir des liens logiques entre deux images qui se succèdent, sous peine de graves erreurs d'interprétation.

Les contenus mentaux venant de l'inconscient ne donnent pas d'indication quant à leur nature. Ainsi, un mot isolé peut entraîner des confusions car il peut faire référence à plusieurs choses : un nom, un lieu... On avait, par exemple, prédit à la reine Marie de Médicis qu'elle mourrait près de Saint-Germain. Comme ce château humide ne lui plaisait guère, elle s'en était volontiers tenue éloignée toute sa vie. Un jour, alors qu'elle était au plus mal, mais pourtant sereine puisque à distance de ce lieu, elle demanda son nom au prêtre qui la veillait. « De Saint-Germain, madame », lui répondit-il. On dit qu'alors la reine tourna la tête et mourut.

La confusion est ici évidente mais, souvent, à l'instar de Nostradamus et de ses *Centuries*, le cliché est parfois si détaché de tout que nous ne pouvons l'interpréter qu'*a posteriori*. C'est le cas, en particulier, des prémonitions qui peuvent survenir spontanément chez nous, qui ne sommes pas avertis et expérimentés.

Je me souviens ainsi d'un événement qui m'a frappé. Un samedi après-midi, alors que selon mon habitude je me rendais à l'hypermarché, je ressentis une impression à la fois forte et étrange, selon laquelle les prix mondiaux s'effondraient et qu'il fallait que j'agisse d'urgence. Je n'avais pris ni alcool ni drogue et n'étais pas non plus dans un état d'inanition tel que j'aurais pu avoir des hallucinations. J'arrive dans la galerie marchande et, après quelques courses, me dirige vers le rayon photo. Je vois, bien caché au fond d'une vitrine, l'appareil que ma femme vient d'acheter, mais à un prix nettement plus bas. J'interroge le vendeur : une chaîne de magasins parisiens brade actuellement ce modèle, aussi sont-ils obligés de s'aligner sur leurs prix, une promotion qui s'arrête le soir même. Je me souviens alors que ma fille était intéressée, mais n'avait pas les moyens de se l'offrir. À ce prix, en revanche, il lui serait possible de l'acquérir. Il était dix-huit heures. J'avais juste le temps d'aller trouver ma fille avant qu'elle parte en soirée. Reprenant ma voiture, je réalisai le sens de mon intuition : les prix s'effondraient, j'avais un rôle à jouer et cela en urgence.

La nature confuse, troublante, des prémonitions est pour une grande part dans la méconnaissance de la voyance spontanée. Il peut surgir à tout moment dans notre esprit des idées baroques, que nous n'identifions pas comme des prémonitions parce qu'elles ne se détachent pas suffisamment des inquiétudes, souhaits et autres sentiments courants. À l'inverse, il ne faut pas se précipiter pour donner une valeur prémonitoire à toute impression que nous pouvons avoir. Le plus souvent, elles sont sans aucune valeur. Et, d'ailleurs, quand on en a l'habitude, les prémonitions sont parfaitement identifiables, tant elles tranchent, comme ici, de la pensée habituelle.

Cependant, les choses ne sont pas toujours faciles. Le cliché peut être, même pour le voyant expérimenté, difficile à interpréter, tel ce Vercingétorix que Rosana n'a pu rapprocher du nom de la station d'autobus. Ne nous hâtons pas de conclure, dans ce cas, à une mauvaise voyance. Souvent, c'est l'inverse, une voyante inexpérimentée ira trop vite dans ses conclusions, qui auraient nécessité plus de prudence.

Voyance et supports

Certains voyants ont des clichés qui s'imposent à eux directement. Rosana, comme nombre de voyants, appelle cela de la « voyance intuitive ». Mais beaucoup s'en méfient, de peur d'être envahis. Aussi utilisent-ils des « supports ». Dans les temps anciens, c'était les entrailles des animaux, le vol des oiseaux, la configuration des planètes, le jet de petits cailloux ou coquillages... Actuellement, on préfère souvent les cartes (tarots de différentes formes, cartes à jouer), le pendule (qui ne peut généralement répondre que par « oui » ou « non »), le marc de café (qui se lit à la manière du Rorschach, le célèbre test psychologique fait de taches d'encre) ou la boule de cristal (aussi rare que mystérieuse). Quel qu'il soit, il est, comme l'indique son nom, « un support » qui guide l'intuition du voyant.

Rosana utilise un jeu de tarot, celui de Marseille, le plus simple et le plus courant. Il est composé d'un certain nombre de cartes, dont les vingt-deux plus importantes sont dites « arcanes majeurs ». Le tracé du dessin est franc et primitif, lisible par un enfant, et les couleurs sont plates et sans nuances (rouge, bleu foncé, bleu clair, jaune, et même le vert dans certains jeux récents). Les symboles représentés parlent directement à notre âme.

Examinons une carte, par exemple le Bateleur (carte I). C'est un jeune homme dynamique et bien fait de sa personne, qui se tient debout, en équilibre stable sur ses deux pieds écartés. Devant lui, une table sur laquelle on trouve des objets qui lui permettent de faire face à toutes les situations : le poignard (se défendre mais aussi trancher), le gobelet (l'eau), les écus (l'argent, le monde matériel), la baguette (le commandement). Sa fonction est de parler, de bonimenter. Il représente donc l'action, l'entreprise, l'imagination, mais aussi celui qui trompe par son verbiage. Sa jeunesse figure un homme au début de sa réalisation, etc.

Il en est de même pour les autres cartes majeures. Quand nous avons appris à les lire, à reconnaître leurs différents éléments, cela devient un automatisme. Avec une certaine habitude, le tarot permet de visualiser les situations les plus diverses. Les cartes accompagnent notre intuition, qu'elles précisent et enrichissent.

Les autres tarots sont plus difficiles à lire (comme celui de madame Lenormand), mais ils peuvent également nous convenir. La complexité de chaque carte éclaire tel ou tel aspect de notre inconscient, et doit être interprétée de manière symbolique, à la manière d'un rêve. Chaque méthode de divination a ses avantages et ses inconvénients, mais elles n'ont de valeur qu'en fonction de notre propre expérience. Il n'y a pas de syntaxe précise et univoque, de grammaire qu'il suffirait d'appliquer.

Quelle que soit la méthode, le support est utilisé de manière symbolique. Les runes, par exemple, sont un alphabet nordique et ancien, souvent utilisé en voyance. La lettre « tuhurisaz », triangle adossé à un trait vertical, peut représenter schématiquement une hache ou un outil contondant. Pour certains, elle est assimilée au dieu Thor, symbolisé par son marteau, un géant à la volonté instinctive et bestiale. Pour d'autres, cette lettre symbolise une conscience spirituelle en cours d'éveil, la régénération... Si elle est à l'envers, elle révèle le refus, dans sa valeur négative. Cachée et à l'endroit, elle montre que les choses, symbolisées par la lettre, ne sont pas encore visibles. De même que, cachée et à l'envers, elle révèle un refus masqué, etc.

Voyance et prophétie

On confond facilement la voyance, phénomène bien cadré et au fond assez banal, avec la prophétie, sujet éminemment complexe.

La voyance habituelle s'appuie sur l'échange entre deux personnes (même si elles traitent d'une tierce personne, comme un proche du client). Elle consiste en la lecture de l'inconscient de l'autre, qui contient le récit de sa vie tout entière, et concerne donc des faits de portée personnelle, locale. De la même manière, si le voyant doit être un jour lui-même témoin de ce qu'il annonce, il s'agit d'une faculté assez courante, variété des prémonitions que nous pouvons tous avoir. J'en ai moi-même vu plusieurs au sein de ma propre clientèle. Ainsi deux patients m'ont annoncé la tragédie du 11 septembre à New York (l'un m'avait prédit, à deux reprises dans les quinze jours qui précédaient et avec beaucoup d'insistance, une chose très noire qui concernait le monde entier, l'autre m'avait annoncé une chute importante du CAC 40, correspondant à peu de chose près aux chiffres réels).

La prophétie appartient à un registre différent. Elle concerne des faits très éloignés dans le temps, que le voyant ne vivra pas, ni son client ni aucun de ses proches. Elle se caractérise par l'annonce d'un événement de portée générale, pouvant même avoir une répercussion mondiale. Il s'agit là d'une faculté excessivement rare. Si les voyants se comptent par milliers, il n'y a sans doute pas un prophète de ce type sur terre. On se souvient des grands prophètes de la Bible : leurs prédictions sont longtemps restées indéchiffrables mais ont remué l'humanité car, comme pour la voyance, ils ont parlé de manière symbolique. À la différence du voyant, ils n'ont pas eu la possibilité de vérifier leurs intuitions. Le cliché est resté si flou qu'il n'a pas pu être interprété sur le moment. On se souvient de la prédiction concernant le Messie, qui continue à diviser juifs et chrétiens. Plus près de nous Nostradamus a écrit les *Centuries* qui ont donné lieu à des débats passionnés... Examinons la nature de ses prophéties. Certes, on peut les taxer de pure invention, mais plusieurs exemples sont étonnants. Prenons[1] dans la Centurie 1, le quatrain 60 :

« Un empereur naîtra près d'Italie
Qui à l'Empire sera vendu bien cher
Dirons avec quels gens il se rallie
Qu'on trouvera moins prince que boucher. »

Que cette Centurie concerne Napoléon ne fait guère de doute : la Corse, proche de l'Italie, sera vendue à la France – qui deviendra un empire – peu de temps avant sa naissance. Les alliances de l'empereur seront multiples, et le nombre de morts dû à ses campagnes européennes sera impressionnant.

On connaît par ailleurs le célèbre « moine noir en gris dedans Varennes » (Centurie 9, quatrain 20, 3e vers), désignant Louis XVI. Vêtu de gris pour ne pas attirer l'attention, il sera pourtant arrêté dans ce

---

1. À la suite d'Yves Lignon, *Quand la science rencontre l'étrange*, Belfond, 1994.

167

village du département de la Meuse. Certes, la plupart des quatrains sont très vagues, mais on rencontre çà et là des précisions qui, pour bon nombre, ne peuvent être le fait du hasard.

On peut ainsi poser l'hypothèse que Nostradamus (ou celui qui l'a inspiré) a été un véritable prophète. Mais, à l'instar de tout voyant, il n'a pas pu dire plus que ce qu'il voyait. Raison pour laquelle il s'exprima sous forme de symboles. Aussi paraît-il sage de suivre son conseil de la fin de la Centurie 6 :

« Que ceux qui liront ces vers y réfléchissent mûrement,
Que le vulgaire profane et ignorant n'approche pas
Arrière tous les astrologues, les sots, les barbares
Que celui qui agit autrement soit maudit selon les rites. »

On ne peut être plus net : l'interprétation des Centuries est d'une extrême complexité, et on ne peut en tirer quelque interprétation que ce soit pour l'avenir. D'ailleurs si cela avait été possible, on peut penser que Nostradamus aurait été le premier à le faire !

Astrologie et horoscopes

Des voyants connus, et probablement capables, livrent à des magazines des horoscopes qui prétendent s'appuyer sur les astres pour donner des prédictions précises concernant notre vie. Les scientifiques gardent le silence, le public les lit avidement et les pourfendeurs du paranormal s'en donnent à cœur joie.

L'astrologie est une discipline très ancienne, probablement aussi vieille que la pensée réfléchie. Peu à peu, l'homme a constaté le mouvement particulier de certains corps célestes, qu'il appela « planètes ». Ainsi naîtra l'astronomie, domaine scientifique reconnu. L'astronomie a gardé de ses origines la dénomination des planètes, inspirée par des divinités romaines, et des étoiles, par des noms arabes, ainsi que la division du ciel en un certain nombre de « constellations ».

L'astrologie se prévaut de son grand âge et de sa fille éminente, l'astronomie, pour se draper de l'habit des sciences. Et, de nos jours encore, les astrologues prétendent agir scientifiquement, alors que rien n'est moins sûr.

Il est évident que le soleil agit sur notre vie. Un enfant né l'hiver est différent d'un autre né en été. La lune a une influence moindre, mais les marées témoignent de sa force. On sait que des animaux sont sensibles à son mouvement. Les huîtres, même éloignées de toute mer, continuent à se régler sur l'attraction de notre satellite. Quant aux autres planètes, telles Mars et Vénus, on peut s'interroger sur le rôle qu'elles auraient...

Si les astrologues ont du succès – et même parfois des résultats, il faut le reconnaître – ce n'est pas par une étude approfondie de notre thème astral, mais parce que ce thème leur « parle », au même titre que les autres supports de la voyance. Quand nous les consultons, ils peuvent ainsi nous livrer une information juste et parfois précise. Mais, si nous leur demandons les règles de leur lecture, ils se perdront rapidement dans des méandres confus...

Il faut donc séparer radicalement ce qui a trait à l'intuition fine, commune à tous les (bons) voyants, et un ensemble de calculs qui n'a pour but que de permettre aux astrologues de mettre en forme cette intuition. Des différentes configurations planétaires, et de leur position dans le ciel, ils sélectionneront ce qui leur convient le mieux pour prédire notre vie, c'est là tout l'art et la compétence du médium. Si plusieurs nous disent la même chose, c'est que leurs intuitions se rejoignent, chose souhaitable et qui confirmerait leur sensibilité.

Ainsi, la configuration et la position des planètes ne sont pas suffisantes pour faire des prédictions de valeur générale comme celles que l'on trouve dans les horoscopes des magazines. Ceci relève de l'abus de confiance, d'autant plus dommageable que les critiques faciles s'étendent à l'ensemble de la voyance.

Il faut donc dire haut et fort que les prédictions astrologiques, comme d'ailleurs celles effectuées grâce aux tarots ou à tout autre support, nécessitent un travail d'analyse et une pratique assidue pour être validées et efficaces. Mais elles ne donnent d'informations que sur un sujet donné, présent en consultation. La conformation des astres est donc un support, et son interprétation relève de la voyance.

Apprenons à nous passer des voyantes !

La voyante, comme le souligne Éliane Gauthier dans ses ouvrages[1], a un rôle de guide. Elle ne livre

---

1. Voir la bibliographie.

pas forcément l'information qu'elle perçoit au premier degré, si elle pressent, par exemple, que cela peut avoir un effet désastreux. Elle doit amener le sujet à accepter son destin ou au contraire à s'opposer à ce qui le menace. Une information correctement présentée peut constituer un avantage certain pour celui qui ne sait rien sur son propre avenir.

Cependant il ne faut pas se ruer sur la voyance. En effet, sans nous en rendre compte clairement, nous avons tous une certaine connaissance de l'avenir, dont nous nous servons presque chaque jour. Ainsi, nombre de grands chefs d'entreprise, d'hommes politiques de talent, de découvreurs scientifiques ou autres sont aussi des « voyants ». Ce sont les intuitions qui les ont guidés, et non les raisonnements qui les ont menés aux découvertes. Pasteur « voyait » si précisément les microbes qu'il a pu ignorer les résultats de ses expérimentations qui paraissaient en faveur de la génération spontanée[1]. De même, le moine Mendel, père de la génétique qui porte son nom, a inventé de toutes pièces les expériences qui prouvaient son hypothèse. Ces grands intuitifs ont donc par la suite construit une réflexion logique autour d'une révélation subite – qui, elle, n'avait rien de rationnel. Certains l'ont raconté sans pudeur. Kekulé, inventeur de la structure spatiale du benzène, a dit l'avoir visionnée devant les flammes évoquant l'*ouroboros* – un serpent se mordant la queue. Niels Bohr, découvreur de la forme « planétaire » de l'atome, a vu en rêve

---

1. Voir l'ouvrage très instructif de Broad et Wade, *La Souris truquée. Enquête sur la fraude scientifique*, Le Seuil, 1987.

l'image du soleil et des planètes. Enfin, Einstein a lui aussi parlé d'un rêve où il chevauchait un point sur une onde lumineuse, ce qui l'a conduit à la théorie de la Relativité[1]. Les équations ne sont là que pour valider et rendre défendables des idées surgies de l'inconscient, le calcul ne faisant que mettre en forme ce que l'on avait pressenti comme vérité.

Comme nous l'avons montré, des tests simples permettent de révéler ces talents cachés. Cependant, nous ne devons pas à tout prix chercher à développer nos dons de voyance, ni d'ailleurs consulter à tout-va avant d'entreprendre la moindre action. Nous risquerions en effet de réduire notre initiative et notre liberté d'agir. Si Dieu (ou la Nature) avait voulu que nous soyons tous de grands voyants, il en serait ainsi. Ceux qui ont le privilège de voir leur propre avenir savent qu'ils risquent la passivité. Ne pas voir est souvent un avantage, cela permet de mener notre vie en fonction de nos souhaits, de nos aspirations. Chacune de nos actions est susceptible de changer notre avenir, sans même que nous sachions ce qui, en principe, nous était destiné. Nous faisons donc chaque jour de la « psychokinèse[2] » sans le savoir. Nous devons le répéter : toute action est libre ; rien n'est écrit nulle part. Une prédiction ne se réalise que si nous la laissons venir. Il s'agit d'une information. Nous pouvons agir et changer notre futur, dès lors que nous en avons les moyens.

---

1. Voir le livre de Mandorla, *Croyez aux dons qui sont en vous*, éditions Trajectoire, 2003.
2. Agir sur le monde directement avec notre pensée.

N'allons donc pas consulter une voyante dès que nous sommes perplexes. Interrogeons notre propre pensée. Notre « âme » saura nous instruire d'une manière bien plus fine et précise que n'importe quel médium. Il faut cependant avoir fait auparavant la clarté en soi, et cela peut constituer un travail... de longue haleine. Cela ne touche pas seulement notre avenir mais aussi notre vie tout entière, notre façon de nous situer au sein de notre entourage, dans le monde environnant.

Les fantômes et les défunts

Rosana parle d'entités qui se manifesteraient auprès d'elle. Est-ce la vérité ou n'est-ce qu'une apparence, une forme particulière de voyance ? La question est débattue. La religion chrétienne, et plus particulièrement le catholicisme optent en général pour l'hypothèse « spirite » – la présence subtile du défunt –, alors que les tenants des sciences humaines, comme la médecine, soutiennent l'idée d'une simple apparence, d'un phénomène issu de l'inconscient. Examinons ces deux hypothèses.

Rosana dit être « médium », du latin « moyen ». Le médium serait donc une personne par l'intermédiaire de qui les défunts se manifestent. Je connais plusieurs médiums avec qui j'ai obtenu des réussites exemplaires. Une de mes amies avait perdu sa fille dans un accident de voiture. Celle-ci conduisait trop vite et le contrôle de son véhicule lui avait échappé, l'entraînant dans la mort avec son fiancé. À la suite de ce décès, bouleversée, la mère allait consulter n'importe qui, et payait des sommes énormes, sans en recevoir aucun soulagement. Un de mes collègues médium[1] me proposa alors qu'elle vienne assister à l'une de ses séances publiques, ce qui lui éviterait, dit-il, le prix d'une consultation! Lors de cette réunion, il fit ce qu'on appelle une séance de médiumnité avec la salle. Il n'avait jamais vu mon amie auparavant. Pourtant, il a donné la description de la jeune fille, si précise que cette amie l'a immédiatement reconnue. Cet homme lui a dit voir le fiancé, qu'il a également décrit en détail, ajoutant que la fille se trouvait bien où elle était, dans l'outre-monde. Cela a tant rassuré la mère qu'elle a aussitôt cessé sa quête et est partie en vacances!

J'ai eu moi-même un « contact » avec un défunt, ma grand-mère, qui m'a « annoncé » un décès lors d'un rêve, comme je l'ai relaté par ailleurs[2]. Effectivement, la personne (que je ne connaissais pas directement) mourait au même moment. Une telle anecdote est si classique qu'elle porte le nom de *cauche-mar* (avec un tiret), mot germanique qui signifie « entité qui réveille le dormeur en l'oppressant » et qui désigne encore le mauvais rêve.

Peut-on dire que cela prouve la survie des défunts dans l'au-delà? Pour moi, de tels exemples renvoient deux hypothèses face à face. Dans le cas de mon rêve, par exemple, je pourrais imaginer que c'est réellement mon aïeule qui s'est présentée à moi, mais on peut aussi parler d'une forme de voyance autour de laquelle se serait organisé ce

---

1. Auteur d'un ouvrage à paraître dans cette collection.
2. Dans *Le Paranormal*, col. « Que sais-je? ».

songe. On sait en effet que les rêves prennent leur source d'événements réels.

En fin de compte, il faut rester prudent : les révélations d'un médium ne viennent pas forcément d'un défunt. Le médium pourrait n'être qu'un voyant, ou même un bon télépathe, allant fouiller dans l'esprit du consultant. En effet, il existe bien des ressemblances entre ces différentes facultés paranormales. Dans les couches profondes de notre inconscient, celles où nous puisons ces étonnants pouvoirs, nous entrons en communication avec les autres humains : Jung a ainsi parlé d'*inconscient collectif*. On pourrait imaginer qu'à ce niveau nous soyons aussi en contact avec l'au-delà, mais cela n'a rien de systématique.

Le dédoublement est-il extraordinaire ?

Dernière faculté dont fait état Rosana : le « dédoublement ». Elle relate qu'il lui est arrivé de « laisser son corps » comme on disait autrefois... L'expérience est, quoi qu'on en pense, assez courante. Une amie me racontait qu'une collègue lui avait proposé, un jour, de faire une séance de relaxation. À peine s'était-elle allongée qu'elle se retrouva « au plafond ». Terrorisée par ce qu'elle n'avait aucunement prévu, elle n'osa ni en parler à sa collègue ni à personne d'autre, mais elle eut tellement peur qu'elle resta dix ans à ne dormir que couchée sur le ventre, pensant ainsi éviter la reproduction du phénomène. Une telle expérience peut survenir à l'état de veille, elle est alors favorisée par la fatigue, le manque de sommeil, de nourriture ou l'affaiblissement dû à une maladie[1]. L'expression populaire « être à côté de ses *pompes* » évoque une forme amoindrie, avortée, de ce dédoublement.

L'expérience peut se présenter sous des formes très diverses, depuis le rêve de vol, où nous planons dans l'air avec délices, jusqu'à la bilocation, exceptionnelle mais décrite par des témoins dignes de foi. Est-ce une réalité ?

Certains parlent d'une « conscience » qui quitterait le corps : Rosana se voit planer au-dessus de la foule. Cette expérience est couramment décrite, sous la forme de NDE. Celle-ci peut avoir lieu lors d'une intervention chirurgicale qui se passe mal, d'une anesthésie trop profonde (ou effectuée avec un produit favorisant le phénomène, comme la Kétamine®), lors d'un accident cardiaque ou dans bien d'autres circonstances analogues. Les personnes à qui cela est arrivé disent avoir pu observer de l'extérieur toute l'agitation de l'équipe médicale, entendre leurs échanges verbaux, et ceci avec la plus grande précision, comme elles ont pu le vérifier ensuite auprès des témoins.

On pourrait penser que, véritablement, notre esprit quitte notre corps, mais l'examen des témoignages pose des questions : ce que relatent les survivants n'est que partiellement exact. Il y a parfois des détails non conformes à la réalité : dans un voyage effectué lors d'un « vol en rêve », un collègue a noté que les pavés d'une rue, très caractéristiques, étaient

---

1. Comme le souligne Mircea Eliade dans *Le Chamanisme et les Techniques archaïques de l'extase*.

disposés différemment que dans la réalité ; une autre a remarqué que les draps de son lit étaient posés autrement... Plus révélateur encore, beaucoup de témoins rapportent qu'ils voyaient leur corps d'au-dessus, mais aussi de côté, comme s'il ne s'agissait pas d'une faculté conforme à ce que nous offrent les yeux, mais d'un savoir hors de l'espace et du temps.

Tous ces éléments plaideraient donc non pour un réel déplacement de la conscience hors du corps, mais pour une forme de conscience « étendue », non localisée dans l'espace. Le chercheur américain George Owen confirmerait cette hypothèse. Il a effectué plusieurs tests. Dans une première expé-rience, le sujet censé quitter son corps possédait un petit chat qui réagissait fortement à sa présence. On a mis l'animal dans la pièce où le sujet devait venir « mentalement », et le chat a effectivement réagi, conformément à l'attente, mais il n'a jamais tourné la tête vers l'endroit où « se trouvait » le sujet dédoublé, et ceci malgré tous les efforts de ce dernier pour atti-rer l'attention de l'animal. Autre test : on a demandé à ce même sujet d'aller appuyer « en esprit » sur une jauge de contrainte, appareil réagissant à la moindre sollicitation. Il n'y est jamais parvenu.

Aussi brillante soit-elle, l'expérience d'Owen n'est cependant pas une preuve. En effet, se situant dans un cadre scientifique, elle met en œuvre la volonté, au moins à un degré minime. Or, on sait combien la volonté nuit aux facultés paranormales, tend à les minimiser, voire à les empêcher. D'autres cas en revanche, comme celui de Yvonne-Aimée de Males-troit, plaident pour une séparation réelle. Cette religieuse, fondatrice et supérieure de l'ordre des

Augustines hospitalières, pouvait, selon les sœurs de son ordre, interrogées lors de son procès en canonisation[1], être et agir à deux endroits à la fois, à la cuisine du couvent, où elle se livrait à une activité banale, et à l'étage, où son « corps subtil » rédigeait des lettres ou discutait avec d'autres religieuses. Ce cas n'est pas unique dans l'Histoire, mais il est tout à fait exceptionnel. En effet, le plus souvent, le corps physique est en état de sommeil ou d'inconscience approfondie, voire de coma.

La question d'une séparation « réelle » du corps et de l'esprit restera longtemps sujet de controverse. Cependant, certains critères peuvent nous aider. Si l'on rapproche les témoignages, on découvre que plus l'expérience est volontaire, délibérée, moins elle est crédible ; plus elle est fortuite, hors de toute décision et de tout vouloir, plus elle reflète la réalité matérielle. Par exemple, j'ai entendu des personnes dire que l'expérience leur était comme imposée, et qu'alors elles « partaient », souvent très loin. On m'a même raconté le cas d'un homme qui s'en allait si soudainement qu'il lui arrivait d'avoir des accidents. Certains aspects de la vision sont caractéristiques : plus nous avons le sentiment de nous déplacer dans l'espace, moins l'expérience a de chances d'être véridique : ceux qui se sont soudain retrouvés ailleurs puis, tout aussi brutalement, à nouveau dans leur corps, relatant également des souvenirs

---

1. Il a déjà été ouvert et refermé deux fois, pour des raisons essentiellement politiques. Mais, selon les autorités intéressées, tout concourt à penser qu'il sera rouvert dans quelques années. Voir l'ouvrage de Laurentin et Maheo, *Bilocations de Mère Yvonne-Aimée*, éditions Œil, 1990.

plus vérifiables. En effet, ces considérations sont rationnelles, mais elles sont en contradiction avec la logique de l'inconscient qui, lui, ignore l'espace, et donc l'idée de déplacement.

Les scientifiques nient le phénomène et l'apparentent à un trouble neurologique : lors d'une intervention chirurgicale sur le cerveau pour le traitement d'une épilepsie, on a demandé à une malade ce qu'elle ressentait quand on déplaçait une électrode. À un certain moment, cette femme a dit avoir eu le sentiment de quitter son corps... mais l'analyse précise du récit montra qu'il s'agissait d'une impression confuse, sans véritable point de vue extérieur, comme lors d'un dédoublement. Rappelons, pour ceux que cette méthode étonne, que les interventions sur le cerveau se font parfois sans anesthésie, dès lors qu'on a effectué la trépanation, ouverture du crâne douloureuse, et donc réalisée quand le patient est endormi. En effet, la coopération de ce dernier est parfois nécessaire pour de telles interventions, bien évidemment indolores. La conformation du cerveau est si variable d'un sujet à l'autre que le traitement des lésions nécessite en effet une analyse au cas par cas.

En résumé, le dédoublement n'est pas une affaire simple. Il est difficile de trancher entre une impression subjective, acquisition d'un savoir hors de l'espace ou déplacement réel avec deux « corps » agissant simultanément, comme pour la bilocation. Il reste que, dans tous les cas, le phénomène semble émerger de l'inconscient profond, à l'instar des autres facultés paranormales.

Conclusion

Malgré leur apparence paradoxale, les facultés paranormales ne sont donc pas si loin du « normal » que l'on pourrait le penser. La voyance existe, même les sciences l'ont rencontrée ! À l'inverse, nombreux sont ceux qui se targuent de facultés qu'ils n'ont pas et abusent de la crédulité (et du portefeuille) de leurs clients. La voyance n'est jamais un phénomène simple. On ne lit pas votre avenir comme un journal ! Parfois, on n'y voit qu'une page blanche, ou encore des choses si lourdes que le médium en est troublé ou angoissé, incapable de sérénité.

Cependant, il ne faut pas faire dire à la voyance ce qu'elle ne peut pas dire. Les horoscopes, par exemple, ne sont pas de la voyance mais s'apparentent plus à des conseils de bon sens, concoctés à la « sauce ésotérique ». Si on vous dit : « Natifs du deuxième décan, vous donnerez de superbes preuves d'attachement à votre partenaire... », cela ne peut que faire du bien à votre couple ! Pourquoi se l'interdire ?

Ne vous hâtez pas chez la voyante habituelle de votre ami(e). Peut-être n'aura-t-elle rien à vous révéler. Examinez d'abord avec soin ce que vous pressentez, en vous-même, des différents projets qui occupent votre vie, interrogez-vous sur votre attitude face aux événements et à votre entourage. Au-delà d'une réflexion rationnelle, plongez dans votre inconscient comme je l'ai indiqué précédemment, et vous trouverez des réponses plus justes et plus utilisables que celles que vous obtiendriez, en payant fort cher, auprès de ce voyant, ou soi-disant tel, capable de tant de prodiges !

Si vous êtes à bout de ressources, si votre raison et votre intuition ont « rendu l'âme », et que vraiment la voyance reste la seule solution envisageable, alors renseignez-vous bien sur la crédibilité de la personne que vous irez consulter. Allez la rencontrer et refusez, au moins au début, les consultations par téléphone. Posez des questions précises et ne vous laissez pas abuser par une lecture (consciente) de votre pensée, facile pour le simple psychologue. Si la personne vous parle du passé, demandez des détails précis qu'elle ne peut pas avoir simplement devinés. Posez des questions jusqu'à ce que les choses soient claires, et ne restez pas sur des à-peu-près. Enregistrez la consultation sur magnétophone, ce qui permettra les vérifications *a posteriori*. Enfin, même dans des circonstances difficiles, elle doit vous proposer des solutions autres que le miracle ou encore le désenvoûtement, pratiques aussi coûteuses que sans effet !

Bibliographie

BELLINE Marcel, *La Troisième Oreille*, Robert Laffont, Paris, 1972 (un célèbre voyant entre en contact avec son fils mort, commentaires d'un certain nombre de personnalités).

— *Un voyant à la recherche du temps futur*, Robert Laffont, Paris, 1975 (rééd. J'ai Lu, n° 2502, récits autobiographiques du voyant).

BROUGHTON Richard, *Parapsychologie, une science controversée*, Le Rocher, Monaco, 1995 (livre assez facile d'accès sur l'approche scientifique du paranormal).

CHAUVIN Rémy, *Quand l'irrationnel rejoint la science*, Hachette, Paris, 1980 (un classique traitant de l'ensemble de la parapsychologie).

ENTRAYGUES Myriam, *Entretiens sur la voyance. Des voyants et des scientifiques parlent*, Chiron, Paris, 2002 (avec des témoignages de plusieurs voyants et scientifiques connus).

GAUTHIER Éliane, *Voyance, de la dépendance à la liberté*, Albin Michel, Paris, 1996 (voyante de formation psychanalytique qui refuse l'idée de l'avenir comme un « livre déjà écrit »).

— *Voyants, mode d'emploi*, Buchet-Chastel, Paris, 1999 (excellent ouvrage de conseils pratiques).

— *J'ai rendez-vous avec moi, quand la voyance devient thérapie*, Anne Carrière, Paris, 2002 (nombreuses anecdotes sur l'effet curatif des consultations de voyance).

HARDY Christine, *Le Livre de la divination*, éditions Ph. Lebaud, Paris, 1989 (ouvrage assez complet sur les *mancies*).

— *La Science et les États frontières*, Le Rocher, Monaco, 1988 (montre, si besoin était, les limites de l'approche scientifique de la parapsychologie).

JAHN Robert, DUNNE Brenda, *Aux frontières du paranormal*, Le Rocher, Monaco, 1991 (livre sur les hypothèses scientifiques concernant le paranormal).

JUNG Carl Gustav, *Synchronicité et Paracelsica*, Albin Michel, Paris, 1988 (ouvrage présentant les essais de Jung sur la synchronicité, intéressant sur le plan théorique, même si on aurait aimé un abord plus complet du sujet).

KRISTEN Maud, *Pour en finir avec Mme Irma, confession d'une voyante*, Calmann-Lévy, Paris, 1990.

LAPLANTINE François *et al.*, *Un voyant dans la ville*, Payot, Paris, 1985 (ouvrage collectif autour du voyant lyonnais Georges de Bellerive ; tentative intéressante d'aborder la voyance sur un plan scientifique).

RADIN Dean, *La Conscience invisible, le paranormal à l'épreuve de la science*, Presses du Châtelet, Paris, 2000 (livre très complet sur l'approche scientifique du paranormal).

RANKY, *Vérité et illusion de la parapsychologie*, Dervy, Paris, 1996 (ouvrage d'un expert unanimement reconnu sur les fraudes concernant le paranormal).

RHINE Joseph Bank, *Le Nouveau Monde de l'esprit*, A. Maisonneuve, Paris, 1955 (un classique du premier grand scientifique en ce domaine).

ROUX Ambroise, KRIPPNER Stanley, SOLFVIN Gerald, *La Science et les Pouvoirs psychiques de l'homme*, Sand, Paris, 1986 (un bilan scientifique de la parapsychologie).

THURSTON Herbert, *Les Phénomènes physiques du mysticisme*, Le Rocher, Monaco, 1986 (ouvrage ancien – 1931 – mais fondamental sur le paranormal et les saints chrétiens ; première édition française : Gallimard, Paris, 1961).

WALLON Philippe, *Expliquer le paranormal, les niveaux du mental*, Albin Michel, Paris, 1996 (comment observer et interpréter le paranormal avec les théories actuellement admises, sans sortir de la logique et de la raison).

— *La Contagion affective*, Le Dauphin, Paris, 2000 (étude scientifique de la contagion des sentiments ou « empathie »).

— *Le Paranormal,* Que sais-je ? n° 3424, PUF, Paris, 2002 (approche résumée des principales facultés paranormales).

Table

Voyante
Rosana Nichols